folio+ COLLÈGE

P9-BZS-617

LE CID

Pierre Corneille

TEXTE INTÉGRAL
+dossier par
Marjorie Robillard

Marjorie Robillard est professeure certifiée de lettres modernes et enseigne au collège Pablo-Picasso d'Harfleur.
Laura Yates a réalisé les infographies et les pictogrammes.

Le Cid
Tragi-comédie

Madame,

Ce portrait vivant que je vous offre représente un héros assez reconnaissable aux lauriers dont il est couvert. Sa vie a été une suite continuelle de victoires, son corps porté dans son armée a gagné des batailles après sa mort et son nom au bout de six cents ans vient encore de triompher en France. Il y a trouvé une réception trop favorable pour se repentir d'être sorti de son pays, et d'avoir appris à parler une autre langue que la sienne. Ce succès a passé mes plus ambitieuses espérances, et m'a surpris d'abord, mais il a cessé de m'étonner depuis que j'ai vu la satisfaction que vous avez témoignée quand il a paru devant vous ; alors j'ai osé me promettre de lui tout ce qui en est arrivé, et j'ai cru qu'après les éloges dont vous l'avez honoré, cet applaudissement universel ne lui pouvait manquer. Et véritablement, Madame, on ne peut douter avec raison de ce que vaut une chose qui a le bonheur de vous plaire : le jugement que vous en faites est la marque assurée de son prix ; et comme vous donnez toujours libérale-ment aux véritables beautés l'estime qu'elles méritent, les fausses

_ 5

_ 10

_ 15

n'ont jamais le pouvoir de vous éblouir. Mais votre générosité
ne s'arrête pas à des louanges stériles pour les ouvrages qui vous
agréent, elle prend plaisir à s'étendre utilement sur ceux qui les
produisent, et ne dédaigne point d'employer en leur faveur ce
grand crédit que votre qualité et vos vertus vous ont acquis. J'en
ai ressenti des effets qui me sont trop avantageux pour m'en
taire, et je ne vous dois pas moins de remerciements pour moi
que pour *Le Cid*. C'est une reconnaissance qui m'est glorieuse
puisqu'il m'est impossible de publier que je vous ai de grandes
obligations, sans publier en même temps que vous m'avez assez
estimé pour vouloir que je vous en eusse. Aussi, Madame, si je
souhaite quelque durée pour cet heureux effort de ma plume, ce
n'est point pour apprendre mon nom à la postérité, mais seulement pour laisser des marques éternelles de ce que je vous dois,
et faire lire à ceux qui naîtront dans les autres siècles la protestation que je fais d'être toute ma vie,

MADAME,

Votre très humble, très obéissant et très obligé serviteur,

CORNEILLE.

ACTEURS

DON FERNAND, *premier Roi de Castille.*

DOÑA URRAQUE, *Infante de Castille.*

DON DIÈGUE, *père de don Rodrigue.*

DON GOMÈS, *Comte de Gormas, père de Chimène.*

DON RODRIGUE, *fils de don Diègue et Amant de Chimène.*

DON SANCHE, *amoureux de Chimène.*

DON ARIAS,
DON ALONSE, } *Gentilshommes castillans.*

CHIMÈNE, *maîtresse de don Rodrigue et de don Sanche.*

LÉONOR, *Gouvernante de l'Infante.*

ELVIRE, *suivante de Chimène.*

Un Page de l'Infante.

La scène est à Séville.

ACTE I

Scène 1

LE COMTE, ELVIRE

ELVIRE

Entre tous ces amants[1] dont la jeune ferveur
Adore votre fille, et brigue ma faveur,
Don Rodrigue et Don Sanche à l'envi[2] font paraître
Le beau feu[3] qu'en leurs cœurs ses beautés ont fait naître,
Ce n'est pas que Chimène écoute leurs soupirs,   _ 5
Ou d'un regard propice anime leurs désirs,
Au contraire pour tous dedans l'indifférence
Elle n'ôte à pas un, ni donne d'espérance,
Et sans les voir d'un œil trop sévère, ou trop doux,
C'est de votre seul choix qu'elle attend un époux.   _ 10

LE COMTE

Elle est dans le devoir[4], tous deux sont dignes d'elle,
Tous deux formés d'un sang[5], noble, vaillant, fidèle,
Jeunes, mais qui font lire aisément dans leurs yeux

---

1. Personnes qui s'aiment. Voir *Les mots ont une histoire*, p. 156.
2. Ne pas confondre avec envie qui signifie désir. L'expression « à l'envi » signifie « à qui mieux mieux ».
3. Amour. *Les mots ont une histoire*, p. 156.
4. Ce que l'on doit à son rang.
5. Famille. Voir *Les mots ont une histoire*, p. 156.

L'éclatante vertu de leurs braves aïeux[1].

15 _ Don Rodrigue surtout n'a trait en son visage
Qui d'un homme de cœur[2] ne soit la haute image,
Et sort d'une maison[3] si féconde en guerriers[4]
Qu'ils y prennent naissance au milieu des lauriers[5].
La valeur de son père, en son temps sans pareille,
20 _ Tant qu'a duré sa force a passé pour merveille,
Ses rides sur son front ont gravé ses exploits,
Et nous disent encor[6] ce qu'il fut autrefois :
Je me promets du fils ce que j'ai vu du père,
Et ma fille en un mot peut l'aimer et me plaire.
25 _ Va l'en entretenir, mais dans cet entretien,
Cache mon sentiment[7] et découvre le sien,
Je veux qu'à mon retour nous en parlions ensemble ;
L'heure à présent m'appelle au conseil qui s'assemble,
Le Roi doit à son fils choisir un Gouverneur[8],
30 _ Ou plutôt m'élever à ce haut rang d'honneur,
Ce que pour lui mon bras[9] chaque jour exécute
Me défend de penser qu'aucun me le dispute.

---

1. Ancêtres. *Les mots ont une histoire*, p. 156.
2. Courage. Voir *Les mots ont une histoire*, p. 156.
3. Lignée. Voir *Les mots ont une histoire*, p. 156.
4. Combattants valeureux.
5. Symbole de la gloire. Voir *Les mots ont une histoire*, p. 156.
6. Au XVIIe siècle, l'orthographe d'usage est bien souvent « encor » ; le mot n'a alors que deux syllabes.
7. On utiliserait le mot au pluriel aujourd'hui. Voir *Les mots ont une histoire*, p. 156.
8. Précepteur, éducateur.
9. Voir *Les mots ont une histoire*, p. 156.

Scène 2

CHIMÈNE, ELVIRE

ELVIRE, *seule*.

Quelle douce nouvelle à ces jeunes amants !
Et que tout se dispose à leurs contentements !

CHIMÈNE

Eh bien, Elvire, enfin, que faut-il que j'espère ?   _ 35
Que dois-je devenir, et que t'a dit mon père ?

ELVIRE

Deux mots dont tous vos sens doivent être charmés[1],
Il estime Rodrigue autant que vous l'aimez.

CHIMÈNE

L'excès de ce bonheur me met en défiance,
Puis-je à de tels discours donner quelque croyance ?   _ 40

ELVIRE

Il passe bien plus outre, il approuve ses feux,
Et vous doit commander de répondre à ses vœux[2].
Jugez après cela puisque tantôt son père

___

1. Le sens est fort : prisonniers d'un charme magique.
2. Promesses. Voir *Les mots ont une histoire*, p. 156.

Au sortir du Conseil doit proposer l'affaire,
45 _ S'il pouvait avoir lieu de mieux prendre son temps,
Et si tous vos désirs seront bientôt contents.

CHIMÈNE

Il semble toutefois que mon âme troublée
Refuse cette joie, et s'en trouve accablée,
Un moment donne au sort des visages divers,
50 _ Et dans ce grand bonheur je crains un grand revers.

ELVIRE

Vous verrez votre crainte heureusement déçue[1].

CHIMÈNE

Allons, quoi qu'il en soit, en attendre l'issue.

Scène 3
L'INFANTE, LÉONOR, PAGE

L'INFANTE, *au page.*

Va-t'en trouver Chimène, et lui dis de ma part
Qu'aujourd'hui pour me voir elle attend un peu tard,
55 _ Et que mon amitié se plaint de sa paresse.

Le Page rentre[2].

---

1. Trompée.
2. Rentre dans les coulisses, c'est-à-dire qu'il sort.

LÉONOR

Madame, chaque jour même désir vous presse,
Et je vous vois pensive et triste chaque jour
L'informer avec soin comme va son amour.

L'INFANTE

J'en dois bien avoir soin, je l'ai presque forcée
À recevoir les coups dont son âme est blessée,   _ 60
Elle aime Don Rodrigue et le tient de ma main,
Et par moi Don Rodrigue a vaincu son dédain,
Ainsi de ces amants ayant formé les chaînes[1],
Je dois prendre intérêt à la fin de leurs peines.

LÉONOR

Madame, toutefois parmi leurs bons succès,   _ 65
On vous voit un chagrin qui va jusqu'à l'excès.
Cet amour qui tous deux les comble d'allégresse
Fait-il de ce grand cœur la profonde tristesse ?
Et ce grand intérêt que vous prenez pour eux
Vous rend-il malheureuse alors qu'ils sont heureux ?   _ 70
Mais je vais trop avant, et deviens indiscrète.

---

1. Liens.

L'INFANTE

Ma tristesse redouble à la tenir secrète.
Écoute, écoute enfin comme j'ai combattu,
Et plaignant ma faiblesse admire ma vertu.
75 _ L'amour est un tyran qui n'épargne personne,
Ce jeune Chevalier, cet amant que je donne,
Je l'aime.

LÉONOR

Vous l'aimez !

L'INFANTE

Mets la main sur mon cœur,
Et vois comme il se trouble au nom de son vainqueur,
Comme il le reconnaît.

LÉONOR

Pardonnez-moi, Madame,
80 _ Si je sors du respect pour blâmer cette flamme¹.
Choisir pour votre amant un simple Chevalier !
Une grande Princesse à ce point s'oublier !
Et que dira le Roi ? que dira la Castille ?
Vous souvenez-vous bien de qui vous êtes fille !

---

1. Sentiment amoureux.

L'INFANTE

Oui, oui, je m'en souviens, et j'épandrai mon sang — 85
Plutôt que de rien faire indigne de mon rang.
Je te répondrais bien que dans les belles âmes
Le seul mérite a droit de produire des flammes,
Et si ma passion cherchait à s'excuser,
Mille exemples fameux pourraient l'autoriser. — 90
Mais je n'en veux point suivre où ma gloire s'engage,
Si j'ai beaucoup d'amour, j'ai bien plus de courage[1],
Un noble orgueil m'apprend qu'étant fille de Roi
Tout autre qu'un Monarque est indigne de moi.
Quand je vis que mon cœur ne se pouvait défendre, — 95
Moi-même je donnai ce que je n'osais prendre,
Je mis au lieu de moi Chimène en ses liens,
Et j'allumai leurs feux pour éteindre les miens.
Ne t'étonne donc plus si mon âme gênée[2]
Avec impatience attend leur hyménée[3], — 100
Tu vois que mon repos en dépend aujourd'hui :
Si l'amour vit d'espoir, il meurt avecque[4] lui,
C'est un feu qui s'éteint faute de nourriture,
Et malgré la rigueur de ma triste aventure
Si Chimène a jamais Rodrigue pour mari — 105

---

1. Sens de l'honneur.
2. Torturée.
3. Mariage, tout comme « hymen », au vers 108. Voir *Les mots ont une histoire*, p. 156.
4. Avec (pour l'alexandrin, le mot a une syllabe supplémentaire).

Mon espérance est morte, et mon esprit guéri.

Je souffre cependant un tourment incroyable,

Jusques à cet hymen Rodrigue m'est aimable,

Je travaille à le perdre, et le perds à regret,

110 _ Et de là prend son cours mon déplaisir[1] secret.

Je suis au désespoir que l'amour me contraigne

À pousser des soupirs pour ce que je dédaigne,

Je sens en deux partis mon esprit divisé,

Si mon courage est haut, mon cœur est embrasé[2] :

115 _ Cet hymen m'est fatal, je le crains, et souhaite,

Je ne m'en promets rien qu'une joie imparfaite,

Ma gloire et mon amour ont tous deux tant d'appas

Que je meurs s'il s'achève, et ne s'achève pas.

LÉONOR

Madame, après cela je n'ai rien à vous dire,

120 _ Sinon que de vos maux avec vous je soupire :

Je vous blâmais tantôt, je vous plains à présent.

Mais puisque dans un mal si doux et si cuisant

Votre vertu combat et son charme et sa force,

En repousse l'assaut, en rejette l'amorce[3],

125 _ Elle rendra le calme à vos esprits flottants.

Espérez donc tout d'elle, et du secours du temps,

---

1. Chagrin.
2. Emporté par le sentiment amoureux.
3. Séduction.

Espérez tout du Ciel, il a trop de justice
Pour souffrir la vertu si longtemps au supplice.

L'INFANTE

Ma plus douce espérance est de perdre l'espoir.

LE PAGE

Par vos commandements Chimène vous vient voir. _ 130

L'INFANTE

Allez l'entretenir en cette galerie.

LÉONOR

Voulez-vous demeurer dedans la rêverie?

L'INFANTE

Non, je veux seulement, malgré mon déplaisir,
Remettre mon visage un peu plus à loisir.
Je vous suis. Juste Ciel, d'où j'attends mon remède, _ 135
Mets enfin quelque borne au mal qui me possède,
Assure mon repos, assure mon honneur,
Dans le bonheur d'autrui je cherche mon bonheur,
Cet hyménée à trois également importe,
Rends son effet plus prompt, ou mon âme plus forte, _ 140
D'un lien conjugal joindre ces deux amants,

C'est briser tous mes fers[1] et finir mes tourments.
Mais je tarde un peu trop, allons trouver Chimène,
Et par son entretien soulager notre peine.

Scène 4

LE COMTE, DON DIÈGUE

LE COMTE

145 _ Enfin vous l'emportez, et la faveur du Roi
Vous élève en un rang qui n'était dû qu'à moi,
Il vous fait Gouverneur du Prince de Castille.

DON DIÈGUE

Cette marque d'honneur qu'il met dans ma famille
Montre à tous qu'il est juste, et fait connaître assez
150 _ Qu'il sait récompenser les services passés.

LE COMTE

Pour grands que soient les Rois, ils sont ce que nous sommes,
Ils peuvent se tromper comme les autres hommes,
Et ce choix sert de preuve à tous les Courtisans
Qu'ils savent mal payer les services présents.

---

1. Entraves.

DON DIÈGUE

Ne parlons plus d'un choix dont votre esprit s'irrite, — 155
La faveur l'a pu faire autant que le mérite ;
Vous choisissant peut-être on eût pu mieux choisir,
Mais le Roi m'a trouvé plus propre à son désir.
À l'honneur qu'il m'a fait ajoutez-en un autre,
Joignons d'un sacré nœud[1] ma maison à la vôtre, — 160
Rodrigue aime Chimène, et ce digne sujet
De ses affections est le plus cher objet :
Consentez-y, Monsieur, et l'acceptez pour gendre.

LE COMTE

À de plus hauts partis Rodrigue doit prétendre,
Et le nouvel éclat de votre dignité — 165
Lui doit bien mettre au cœur une autre vanité.
Exercez-la, Monsieur, et gouvernez le Prince,
Montrez-lui comme il faut régir une Province,
Faire trembler partout les peuples sous sa loi,
Remplir les bons d'amour, et les méchants d'effroi : — 170
Joignez à ces vertus celles d'un Capitaine,
Montrez-lui comme il faut s'endurcir à la peine,
Dans le métier de Mars[2] se rendre sans égal,
Passer les jours entiers et les nuits à cheval,

---

1. Union. Voir *Les mots ont une histoire*, p. 156.
2. La guerre puisque Mars est le dieu romain de la guerre.

175 _ Reposer tout armé, forcer une muraille,
Et ne devoir qu'à soi le gain d'une bataille.
Instruisez-le d'exemple, et vous ressouvenez
Qu'il faut faire à ses yeux ce que vous enseignez.

DON DIÈGUE

Pour s'instruire d'exemple, en dépit de l'envie,
180 _ Il lira seulement l'histoire de ma vie :
Là dans un long tissu de belles actions
Il verra comme il faut dompter des nations,
Attaquer une place, ordonner une armée,
Et sur de grands exploits bâtir sa renommée.

LE COMTE

185 _ Les exemples vivants ont bien plus de pouvoir,
Un Prince dans un livre apprend mal son devoir ;
Et qu'a fait après tout ce grand nombre d'années
Que ne puisse égaler une de mes journées ?
Si vous fûtes vaillant, je le suis aujourd'hui,
190 _ Et ce bras du Royaume est le plus ferme appui ;
Grenade et l'Aragon tremblent quand ce fer brille,
Mon nom sert de rempart à toute la Castille,
Sans moi vous passeriez bientôt sous d'autres lois,
Et si vous ne m'aviez, vous n'auriez plus de Rois.
195 _ Chaque jour, chaque instant, entasse pour ma gloire
Laurier dessus laurier, victoire sur victoire :

Le Prince, pour essai de générosité[1],
Gagnerait des combats marchant à mon côté,
Loin des froides leçons qu'à mon bras on préfère,
Il apprendrait à vaincre en me regardant faire.   _ 200

DON DIÈGUE

Vous me parlez en vain de ce que je connoi[2],
Je vous ai vu combattre et commander sous moi :
Quand l'âge dans mes nerfs a fait couler sa glace
Votre rare valeur a bien rempli ma place,
Enfin pour épargner les discours superflus   _ 205
Vous êtes aujourd'hui ce qu'autrefois je fus.
Vous voyez toutefois qu'en cette concurrence
Un Monarque entre nous met de la différence.

LE COMTE

Ce que je méritais, vous l'avez emporté.

DON DIÈGUE

Qui l'a gagné sur vous, l'avait mieux mérité.   _ 210

LE COMTE

Qui peut mieux l'exercer, en est bien le plus digne.

———————————

1. Courage.
2. Orthographe fréquente au XVIIᵉ siècle qui permet la rime avec le vers suivant.

DON DIÈGUE

En être refusé n'en est pas un bon signe.

LE COMTE

Vous l'avez eu par brigue[1] étant vieux Courtisan.

DON DIÈGUE

L'éclat de mes hauts faits fut mon seul partisan.

LE COMTE

215 _ Parlons-en mieux, le Roi fait honneur à votre âge.

DON DIÈGUE

Le Roi, quand il en fait, le mesure au courage.

LE COMTE

Et par là cet honneur n'était dû qu'à mon bras.

DON DIÈGUE

Qui n'a pu l'obtenir, ne le méritait pas.

LE COMTE

Ne le méritait pas ! moi ?

---

1. Intrigue, manœuvre secrète.

DON DIÈGUE

Vous.

LE COMTE

Ton impudence,
Téméraire vieillard, aura sa récompense.   _ 220

Il lui donne un soufflet[1].

DON DIÈGUE

Achève, et prends ma vie après un tel affront,
Le premier dont ma race[2] ait vu rougir son front.

Ils mettent l'épée à la main.

LE COMTE

Et que penses-tu faire avec tant de faiblesse?

DON DIÈGUE

Ô Dieu! ma force usée à ce besoin me laisse.

LE COMTE

Ton épée est à moi, mais tu serais trop vain   _ 225
Si ce honteux trophée avait chargé ma main[3].

---

1. Gifle.
2. Famille. Voir *Les mots ont une histoire*, p. 156.
3. Le comte ne daigne pas même ramasser l'épée tombée à terre.

Adieu, fais lire au Prince, en dépit de l'envie,
Pour son instruction l'histoire de ta vie,
D'un insolent discours ce juste châtiment
230 _ Ne lui servira pas d'un petit ornement.

DON DIÈGUE

Épargnes-tu mon sang?

LE COMTE

Mon âme est satisfaite,
Et mes yeux à ma main reprochent ta défaite.

DON DIÈGUE

Tu dédaignes ma vie!

LE COMTE

En arrêter le cours
Ne serait que hâter la Parque¹ de trois jours.

Scène 5

DON DIÈGUE, SEUL.

235 _ Ô rage, ô désespoir! ô vieillesse ennemie!
N'ai-je donc tant vécu que pour cette infamie?

––––––––––––

1. Divinité antique qui coupait le fil de la vie.

Et ne suis-je blanchi[1] dans les travaux guerriers
Que pour voir en un jour flétrir tant de lauriers ?
Mon bras qu'avec respect toute l'Espagne admire,
Mon bras qui tant de fois a sauvé cet Empire,   _ 240
Tant de fois affermi le Trône de son Roi,
Trahit donc ma querelle, et ne fait rien pour moi ?
Ô cruel souvenir de ma gloire passée !
Œuvre de tant de jours en un jour effacée !
Nouvelle dignité fatale à mon bonheur,   _ 245
Précipice élevé d'où tombe mon honneur,
Faut-il de votre éclat voir triompher le Comte,
Et mourir sans vengeance, ou vivre dans la honte ?
Comte, sois de mon Prince à présent Gouverneur,
Ce haut rang n'admet point un homme sans honneur,   _ 250
Et ton jaloux orgueil par cet affront insigne
Malgré le choix du Roi m'en a su rendre indigne.
Et toi de mes exploits glorieux instrument,
Mais d'un corps tout de glace inutile ornement,
Fer, jadis tant à craindre, et qui dans cette offense   _ 255
M'as servi de parade[2], et non pas de défense,
Va, quitte désormais le dernier des humains,
Passe pour me venger en de meilleures mains ;
Si Rodrigue est mon fils, il faut que l'amour cède,

---

1. Vieilli.
2. Vain ornement.

260 _ Et qu'une ardeur plus haute à ses flammes succède,
Mon honneur est le sien, et le mortel affront
Qui tombe sur mon chef[1] rejaillit sur son front.

Scène 6

DON DIÈGUE, DON RODRIGUE

DON DIÈGUE

Rodrigue, as-tu du cœur[2]?

DON RODRIGUE

Tout autre que mon père
L'éprouverait[3] sur l'heure.

DON DIÈGUE

Agréable colère,
265 _ Digne ressentiment à ma douleur bien doux!
Je reconnais mon sang à ce noble courroux,
Ma jeunesse revit en cette ardeur si prompte,
Viens mon fils, viens mon sang, viens réparer ma honte,
Viens me venger.

---

1. Tête.
2. Courage. Voir *Les mots ont une histoire*, p. 156.
3. Ici, reconnaissez-vous le mode et le temps ? Il s'agit du conditionnel présent. Éprouver ne signifie pas ressentir par l'âme mais plutôt être confronté physiquement. Rodrigue affirme avec le conditionnel que si quelqu'un d'autre que son père lui avait posé cette question, il l'aurait affronté.

DON RODRIGUE

De quoi?

DON DIÈGUE

              D'un affront si cruel

Qu'à l'honneur de tous deux il porte un coup mortel,   — 270

D'un soufflet. L'insolent en eût perdu la vie,

Mais mon âge a trompé ma généreuse envie,

Et ce fer que mon bras ne peut plus soutenir,

Je le remets au tien pour venger et punir.

Va contre un arrogant éprouver ton courage ;   — 275

Ce n'est que dans le sang qu'on lave un tel outrage,

Meurs, ou tue. Au surplus, pour ne te point flatter[1],

Je te donne à combattre un homme à redouter,

Je l'ai vu tout sanglant au milieu des batailles

Se faire un beau rempart de mille funérailles.   — 280

DON RODRIGUE

Son nom, c'est perdre temps en propos superflus.

DON DIÈGUE

Donc, pour te dire encor quelque chose de plus,

Plus que brave soldat, plus que grand Capitaine,

C'est…

---

1. Tromper, abuser.

DON RODRIGUE

De grâce achevez.

DON DIÈGUE

Le père de Chimène.

DON RODRIGUE

285 _ Le...

DON DIÈGUE

Ne réplique point, je connais ton amour,
Mais qui peut vivre infâme est indigne du jour,
Plus l'offenseur est cher, et plus grande est l'offense :
Enfin tu sais l'affront, et tu tiens la vengeance,
Je ne te dis plus rien, venge-moi, venge-toi,
290 _ Montre-toi digne fils d'un tel père que moi ;
Accablé des malheurs où le destin me range
Je m'en vais les pleurer. Va, cours, vole, et nous venge.

Scène 7

DON RODRIGUE, *seul.*

Percé jusques au fond du cœur
D'une atteinte imprévue aussi bien que mortelle,
295 _ Misérable vengeur d'une juste querelle,
Et malheureux objet d'une injuste rigueur,

Je demeure immobile, et mon âme abattue
                    Cède au coup qui me tue.
              Si près de voir mon feu récompensé,
                    Ô Dieu ! l'étrange peine !   _ 300
En cet affront mon père est l'offensé,
Et l'offenseur le père de Chimène.

              Que je sens de rudes combats !
Contre mon propre honneur mon amour s'intéresse,
Il faut venger un père, et perdre une maîtresse,   _ 305
L'un échauffe mon cœur, l'autre retient mon bras,
Réduit au triste choix ou de trahir ma flamme,
                    Ou de vivre en infâme,
              Des deux côtés mon mal est infini.
                    Ô Dieu ! l'étrange peine !   _ 310
Faut-il laisser un affront impuni ?
Faut-il punir le père de Chimène ?

              Père, maîtresse, honneur, amour,
Illustre tyrannie, adorable contrainte,
Par qui de ma raison la lumière est éteinte,   _ 315
À mon aveuglement rendez un peu de jour.
Cher et cruel espoir d'une âme généreuse
                    Mais ensemble amoureuse,
              Noble ennemi de mon plus grand bonheur
                    Qui fais toute ma peine,   _ 320

M'es-tu donné pour venger mon honneur?
M'es-tu donné pour perdre ma Chimène?

Il vaut mieux courir au trépas ;
Je dois à ma maîtresse aussi bien qu'à mon père,
325 — Qui venge cet affront irrite sa colère,
Et qui peut le souffrir, ne la mérite pas.
Prévenons la douleur d'avoir failli contre elle,
Qui nous serait mortelle.
Tout m'est fatal, rien ne me peut guérir,
330 — Ni soulager ma peine,
Allons, mon âme, et puisqu'il faut mourir,
Mourons du moins sans offenser Chimène.
Mourir sans tirer ma raison[1]!
Rechercher un trépas si mortel à ma gloire !
335 — Endurer que l'Espagne impute à ma mémoire
D'avoir mal soutenu l'honneur de ma maison !
Respecter un amour dont mon âme égarée
Voit la perte assurée !
N'écoutons plus ce penser suborneur
340 — Qui ne sert qu'à ma peine,
Allons, mon bras, du moins sauvons l'honneur,
Puisque aussi bien il faut perdre Chimène.

---

1. Obtenir réparation, se venger.

Oui, mon esprit s'était déçu,
Dois-je pas à mon père avant qu'à ma maîtresse?
Que je meure au combat, ou meure de tristesse,   _ 345
Je rendrai mon sang pur comme je l'ai reçu.
Je m'accuse déjà de trop de négligence,
        Courons à la vengeance,
Et tous¹ honteux d'avoir tant balancé,
        Ne soyons plus en peine   _ 350
(Puisque aujourd'hui mon père est l'offensé)
Si l'offenseur est père de Chimène.

---

1. L'adjectif est fréquemment utilisé pour l'adverbe, et s'accorde ici à la première personne du pluriel (soyons).

ACTE II

Scène 1

DON ARIAS, LE COMTE

LE COMTE

Je l'avoue entre nous, quand je lui fis l'affront
J'eus le sang un peu chaud, et le bras un peu prompt,
355 _ Mais puisque c'en est fait, le coup est sans remède.

DON ARIAS

Qu'aux volontés du Roi ce grand courage cède,
Il y prend grande part, et son cœur irrité
Agira contre vous de pleine autorité.
Aussi vous n'avez point de valable défense :
360 _ Le rang de l'offensé, la grandeur de l'offense,
Demandent des devoirs et des submissions[1]
Qui passent le commun des satisfactions[2].

LE COMTE

Qu'il prenne donc ma vie, elle est en sa puissance.

_____

1. Action de se soumettre en demandant pardon.
2. Des excuses ordinaires.

DON ARIAS

Un peu moins de transport, et plus d'obéissance,
D'un Prince qui vous aime apaisez le courroux,   — 365
Il a dit : Je le veux. Désobéirez-vous ?

LE COMTE

Monsieur, pour conserver ma gloire et mon estime
Désobéir un peu n'est pas un si grand crime.
Et quelque grand qu'il fût, mes services présents
Pour le faire abolir sont plus que suffisants.   — 370

DON ARIAS

Quoi qu'on fasse d'illustre et de considérable
Jamais à son sujet un Roi n'est redevable :
Vous vous flattez beaucoup, et vous devez savoir
Que qui sert bien son Roi ne fait que son devoir.
Vous vous perdrez, Monsieur, sur[1] cette confiance.   — 375

LE COMTE

Je ne vous en croirai qu'après l'expérience.

DON ARIAS

Vous devez redouter la puissance d'un Roi.

---

1. En vous fondant sur.

LE COMTE

Un jour seul ne perd pas un homme tel que moi.

Que toute sa grandeur s'arme pour mon supplice,

380 _ Tout l'État périra plutôt que je périsse.

DON ARIAS

Quoi? vous craignez si peu le pouvoir souverain?

LE COMTE

D'un sceptre qui sans moi tomberait de sa main?

Il a trop d'intérêt lui-même en ma personne,

Et ma tête en tombant ferait choir sa couronne.

DON ARIAS

385 _ Souffrez que la raison remette vos esprits.

Prenez un bon conseil[1].

LE COMTE

Le conseil en est pris.

DON ARIAS

Que lui dirai-je enfin? Je lui dois rendre compte.

---

1. Décision.

LE COMTE

Que je ne puis du tout consentir à ma honte.

DON ARIAS

Mais songez que les Rois veulent être absolus.

LE COMTE

Le sort en est jeté, Monsieur, n'en parlons plus.   _ 390

DON ARIAS

Adieu donc, puisqu'en vain je tâche à vous résoudre ;
Tout couvert de lauriers, craignez encor la foudre[1].

LE COMTE

Je l'attendrai sans peur.

DON ARIAS

Mais non pas sans effet.

LE COMTE

Nous verrons donc par là Don Diègue satisfait.

Don Arias rentre.

Je m'étonne fort peu de menaces pareilles.   _ 395
Dans les plus grands périls je fais plus de merveilles,

---

1. On croyait dans l'Antiquité que les lauriers sacrés ne pouvaient être frappés par la foudre.

Et quand l'honneur y va[1], les plus cruels trépas
Présentés à mes yeux ne m'ébranleraient pas.

Scène 2

LE COMTE, DON RODRIGUE

DON RODRIGUE

À moi, Comte, deux mots.

LE COMTE

Parle.

DON RODRIGUE

Ôte-moi d'un doute.

400 — Connais-tu bien Don Diègue?

LE COMTE

Oui.

DON RODRIGUE

Parlons bas, écoute.

Sais-tu que ce vieillard fut la même vertu[2],
La vaillance, et l'honneur de son temps? le sais-tu?

————————————

1. Quand il y va de l'honneur.
2. La vertu même.

LE COMTE

Peut-être.

DON RODRIGUE

Cette ardeur que dans les yeux je porte,
Sais-tu que c'est son sang ? le sais-tu ?

LE COMTE

Que m'importe ?

DON RODRIGUE

À quatre pas d'ici je te le fais savoir.

— 405

LE COMTE

Jeune présomptueux.

DON RODRIGUE

Parle sans t'émouvoir.
Je suis jeune, il est vrai, mais aux âmes bien nées
La valeur n'attend pas le nombre des années.

LE COMTE

Mais t'attaquer à moi ! qui t'a rendu si vain,
Toi qu'on n'a jamais vu les armes à la main ?

— 410

DON RODRIGUE

Mes pareils à deux fois ne se font point connaître,
Et pour leurs coups d'essai veulent des coups de maître.

LE COMTE

Sais-tu bien qui je suis?

DON RODRIGUE

Oui, tout autre que moi
Au seul bruit de ton nom pourrait trembler d'effroi,
415 _ Mille et mille lauriers dont ta tête est couverte
Semblent porter écrit le destin de ma perte,
J'attaque en téméraire un bras toujours vainqueur,
Mais j'aurai trop de force ayant assez de cœur,
À qui venge son père il n'est rien impossible,
420 _ Ton bras est invaincu, mais non pas invincible.

LE COMTE

Ce grand cœur qui paraît aux discours que tu tiens
Par tes yeux chaque jour se découvrait aux miens,
Et croyant voir en toi l'honneur de la Castille,
Mon âme avec plaisir te destinait ma fille.
425 _ Je sais ta passion, et suis ravi de voir
Que tous ses mouvements cèdent à ton devoir,
Qu'ils n'ont point affaibli cette ardeur magnanime,
Que ta haute vertu répond à mon estime,

Et que voulant pour gendre un Chevalier parfait
Je ne me trompais point au choix que j'avais fait.   _ 430
Mais je sens que pour toi ma pitié s'intéresse[1],
J'admire ton courage, et je plains ta jeunesse.
Ne cherche point à faire un coup d'essai fatal,
Dispense ma valeur d'un combat inégal,
Trop peu d'honneur pour moi suivrait cette victoire,   _ 435
À vaincre sans péril on triomphe sans gloire,
On te croirait toujours abattu sans effort,
Et j'aurais seulement le regret de ta mort.

DON RODRIGUE

D'une indigne pitié ton audace est suivie.
Qui m'ose ôter l'honneur craint de m'ôter la vie.   _ 440

LE COMTE

Retire-toi d'ici.

DON RODRIGUE

Marchons sans discourir.

LE COMTE

Es-tu si las de vivre?

---

1. Prend parti.

DON RODRIGUE

As-tu peur de mourir?

LE COMTE

Viens, tu fais ton devoir, et le fils dégénère
Qui survit un moment à l'honneur de son père.

Scène 3
L'INFANTE, CHIMÈNE, LÉONOR

L'INFANTE

445 _ Apaise, ma Chimène, apaise ta douleur,
Fais agir ta constance en ce coup de malheur,
Tu reverras le calme après ce faible orage,
Ton bonheur n'est couvert que d'un petit nuage,
Et tu n'as rien perdu pour le voir différer.

CHIMÈNE

450 _ Mon cœur outré d'ennuis n'ose rien espérer,
Un orage si prompt qui trouble une bonace[1]
D'un naufrage certain nous porte la menace.
Je n'en saurais douter, je péris dans le port.
J'aimais, j'étais aimée, et nos pères d'accord,

—————————

1. Mer calme.

Et je vous en contais la première nouvelle   _ 455
Au malheureux moment que naissait leur querelle,
Dont le récit fatal sitôt qu'on vous l'a fait
D'une si douce attente a ruiné l'effet.
Maudite ambition, détestable manie,
Dont les plus généreux souffrent la tyrannie,   _ 460
Impitoyable honneur, mortel à mes plaisirs,
Que tu me vas coûter de pleurs et de soupirs !

L'INFANTE

Tu n'as dans leur querelle aucun sujet de craindre,
Un moment l'a fait naître, un moment va l'éteindre,
Elle a fait trop de bruit pour ne pas s'accorder,   _ 465
Puisque déjà le Roi les veut accommoder,
Et de ma part mon âme à tes ennuis sensible
Pour en tarir la source y fera l'impossible.

CHIMÈNE

Les accommodements ne font rien en ce point,   _ 470
Les affronts à l'honneur ne se réparent point,
En vain on fait agir la force, ou la prudence,
Si l'on guérit le mal, ce n'est qu'en apparence,
La haine que les cœurs conservent au-dedans
Nourrit des feux cachés, mais d'autant plus ardents.

L'INFANTE

475 _ Le saint nœud qui joindra Don Rodrigue et Chimène
Des pères ennemis dissipera la haine,
Et nous verrons bientôt votre amour le plus fort
Par un heureux Hymen étouffer ce discord.

CHIMÈNE

Je le souhaite ainsi plus que je ne l'espère ;
480 _ Don Diègue est trop altier[1], et je connais mon père.
Je sens couler des pleurs que je veux retenir,
Le passé me tourmente, et je crains l'avenir.

L'INFANTE

Que crains-tu ? d'un vieillard l'impuissante faiblesse ?

CHIMÈNE

Rodrigue a du courage.

L'INFANTE

Il a trop de jeunesse.

CHIMÈNE

485 _ Les hommes valeureux le sont du premier coup.

---

1. Ce terme est bien facile à comprendre ! Pensez à ce que défendent les personnages : leur honneur et leur orgueil !

L'INFANTE

Tu ne dois pas pourtant le redouter beaucoup,
Il est trop amoureux pour te vouloir déplaire,
Et deux mots de ta bouche arrêtent sa colère.

CHIMÈNE

S'il ne m'obéit point, quel comble à mon ennui !
Et s'il peut m'obéir, que dira-t-on de lui ?   _ 490
Souffrir un tel affront étant né Gentilhomme !
Soit qu'il cède, ou résiste au feu qui le consomme¹,
Mon esprit ne peut qu'être, ou honteux, ou confus,
De son trop de respect, ou d'un juste refus.

L'INFANTE

Chimène est généreuse, et quoique intéressée   _ 495
Elle ne peut souffrir une lâche pensée !
Mais si jusques au jour de l'accommodement
Je fais mon prisonnier de ce parfait amant,
Et que j'empêche ainsi l'effet de son courage,
Ton esprit amoureux n'aura-t-il point d'ombrage ?   _ 500

CHIMÈNE

Ah ! Madame ! en ce cas je n'ai plus de souci.

---

1. Consume.

Scène 4
L'INFANTE, CHIMÈNE, LÉONOR, LE PAGE

L'INFANTE

Page, cherchez Rodrigue, et l'amenez ici.

LE PAGE

Le Comte de Gormas et lui…

CHIMÈNE

Bon Dieu ! je tremble.

L'INFANTE

Parlez.

LE PAGE

De ce Palais ils sont sortis ensemble.

CHIMÈNE

505 _ Seuls ?

LE PAGE

Seuls, et qui semblaient tout bas se quereller.

CHIMÈNE

Sans doute[1] ils sont aux mains, il n'en faut plus parler :
Madame, pardonnez à cette promptitude.

Scène 5
L'INFANTE, LÉONOR

L'INFANTE

Hélas ! que dans l'esprit je sens d'inquiétude !
Je pleure ses malheurs, son amant me ravit,
Mon repos m'abandonne, et ma flamme revit.   _ 510
Ce qui va séparer Rodrigue de Chimène
Avecque mon espoir fait renaître ma peine,
Et leur division que je vois à regret
Dans mon esprit charmé jette un plaisir secret.

LÉONOR

Cette haute vertu qui règne dans votre âme   _ 515
Se rend-elle si tôt à cette lâche flamme ?

L'INFANTE

Ne la nomme point lâche à présent que chez moi
Pompeuse[2] et triomphante elle me fait la loi.

---

1. Sans aucun doute.
2. Éclatante, glorieuse.

Porte-lui du respect puisqu'elle m'est si chère ;
520 _ Ma vertu la combat, mais malgré moi j'espère,
Et d'un si fol espoir mon cœur mal défendu
Vole après un amant que Chimène a perdu.

LÉONOR

Vous laissez choir ainsi ce glorieux courage,
Et la raison chez vous perd ainsi son usage ?

L'INFANTE

525 _ Ah ! qu'avec peu d'effet on entend la raison,
Quand le cœur est atteint d'un si charmant poison !
Alors que le malade aime sa maladie,
Il ne peut plus souffrir que l'on y remédie.

LÉONOR

Votre espoir vous séduit, votre mal vous est doux,
530 _ Mais toujours ce Rodrigue est indigne de vous.

L'INFANTE

Je ne le sais que trop, mais si ma vertu cède
Apprends comme l'amour flatte un cœur qu'il possède.
Si Rodrigue une fois sort vainqueur du combat,
Si dessous sa valeur ce grand guerrier s'abat,
535 _ Je puis en faire cas, je puis l'aimer sans honte,
Que ne fera-t-il point s'il peut vaincre le Comte ?

J'ose m'imaginer qu'à ses moindres exploits
Les Royaumes entiers tomberont sous ses lois,
Et mon amour flatteur[1] déjà me persuade
Que je le vois assis au trône de Grenade,   _ 540
Les Mores subjugués trembler en l'adorant,
L'Aragon recevoir ce nouveau conquérant,
Le Portugal se rendre, et ses nobles journées
Porter delà les mers ses hautes destinées,
Au milieu de l'Afrique arborer ses lauriers :   _ 545
Enfin tout ce qu'on dit des plus fameux guerriers,
Je l'attends de Rodrigue après cette victoire,
Et fais de son amour un sujet de ma gloire.

LÉONOR

Mais, Madame, voyez où vous portez son bras,
Ensuite[2] d'un combat qui peut-être n'est pas.   _ 550

L'INFANTE

Rodrigue est offensé, le Comte a fait l'outrage,
Ils sont sortis ensemble, en faut-il davantage ?

LÉONOR

Je veux que ce combat demeure pour certain.
Votre esprit va-t-il point bien vite pour sa main ?

---

1. Trompeur.
2. À la suite d'un combat qui peut-être n'aura pas lieu.

L'INFANTE

555 — Que veux-tu? je suis folle, et mon esprit s'égare,
Mais c'est le moindre mal que l'amour me prépare,
Viens dans mon cabinet consoler mes ennuis[1],
Et ne me quitte point dans le trouble où je suis.

Scène 6

LE ROI, DON ARIAS, DON SANCHE, DON ALONSE

LE ROI

Le Comte est donc si vain, et si peu raisonnable!
560 — Ose-t-il croire encor son crime pardonnable?

DON ARIAS

Je l'ai de votre part longtemps entretenu,
J'ai fait mon pouvoir[2], Sire, et n'ai rien obtenu.

LE ROI

Justes Cieux! Ainsi donc un sujet téméraire
A si peu de respect, et de soin de me plaire!
565 — Il offense Don Diègue, et méprise son Roi!
Au milieu de ma Cour il me donne la loi!
Qu'il soit brave guerrier, qu'il soit grand Capitaine,

---

1. Sens fort : préoccupations, tourments.
2. Mon possible.

Je lui rabattrai bien cette humeur si hautaine,
Fût-il la valeur même, et le Dieu des combats,
Il verra ce que c'est que de n'obéir pas.   _ 570
Je sais trop comme il faut dompter cette insolence,
Je l'ai voulu d'abord traiter sans violence,
Mais puisqu'il en abuse, allez dès aujourd'hui,
Soit qu'il résiste, ou non, vous assurer de lui[1].

Don Alonse rentre.

DON SANCHE

Peut-être un peu de temps le rendrait moins rebelle,   _ 575
On l'a pris tout bouillant encor de sa querelle,
Sire, dans la chaleur d'un premier mouvement
Un cœur si généreux se rend malaisément;
On voit bien qu'on a tort, mais une âme si haute
N'est pas si tôt réduite à confesser sa faute.   _ 580

LE ROI

Don Sanche, taisez-vous, et soyez averti
Qu'on se rend criminel à prendre son parti.

DON SANCHE

J'obéis, et me tais, mais, de grâce encor, Sire,
Deux mots en sa défense.

---

1. Le faire arrêter.

LE ROI

Et que pourrez-vous dire?

DON SANCHE

585 _ Qu'une âme accoutumée aux grandes actions
Ne se peut abaisser à des submissions :
Elle n'en conçoit point qui s'expliquent sans honte,
Et c'est contre ce mot qu'a résisté le Comte.
Il trouve en son devoir un peu trop de rigueur,
590 _ Et vous obéirait s'il avait moins de cœur.
Commandez que son bras, nourri dans les alarmes,
Répare cette injure à la pointe des armes,
Il satisfera, Sire, et vienne qui voudra,
Attendant qu'il l'ait su, voici qui répondra[1].

LE ROI

595 _ Vous perdez le respect, mais je pardonne à l'âge,
Et j'estime l'ardeur en un jeune courage ;
Un Roi dont la prudence a de meilleurs objets
Est meilleur ménager du sang de ses sujets.
Je veille pour les miens, mes soucis les conservent,
600 _ Comme le chef a soin des membres qui le servent :
Ainsi votre raison n'est pas raison pour moi ;

---

1. Quel que soit celui qui demandera réparation au Comte, Don Sanche y répondra à sa place.

Vous parlez en soldat, je dois agir en Roi,
Et quoi qu'il faille dire, et quoi qu'il veuille croire,
Le Comte à m'obéir ne peut perdre sa gloire.
D'ailleurs l'affront me touche, il a perdu d'honneur   _ 605
Celui que de mon fils j'ai fait le Gouverneur,
Et par ce trait hardi d'une insolence extrême
Il s'est pris à mon choix, il s'est pris à moi-même.
C'est moi qu'il satisfait en réparant ce tort.
N'en parlons plus. Au reste on nous menace fort :   _ 610
Sur un avis¹ reçu je crains une surprise.

DON ARIAS

Les Mores contre vous font-ils quelque entreprise ?
S'osent-ils préparer à des efforts nouveaux ?

LE ROI

Vers la bouche du fleuve on a vu leurs vaisseaux²,
Et vous n'ignorez pas qu'avec fort peu de peine   _ 615
Un flux de pleine mer jusqu'ici les amène.

DON ARIAS

Tant de combats perdus leur ont ôté le cœur
D'attaquer désormais un si puissant vainqueur.

---

1. Nouvelle, information.
2. Si vous avez oublié la signification de ce terme, pensez au moyen par lequel les Mores arrivent. Cela vous reviendra tout de suite !

LE ROI

N'importe, ils ne sauraient qu'avecque jalousie
620 — Voir mon sceptre aujourd'hui régir l'Andalousie,
Et ce pays si beau que j'ai conquis sur eux
Réveille à tous moments leurs desseins généreux :
C'est l'unique raison qui m'a fait dans Séville
Placer depuis dix ans le trône de Castille,
625 — Pour les voir de plus près, et d'un ordre plus prompt
Renverser aussitôt ce qu'ils entreprendront.

DON ARIAS

Sire, ils ont trop appris aux dépens de leurs têtes
Combien votre présence assure vos conquêtes :
Vous n'avez rien à craindre.

LE ROI

Et rien à négliger :
630 — Le trop de confiance attire le danger,
Et le même ennemi que l'on vient de détruire,
S'il sait prendre son temps, est capable de nuire.

Don Alonse revient.

Toutefois j'aurais tort de jeter dans les cœurs,
L'avis étant mal sûr, de Paniques terreurs,
635 — L'effroi que produirait cette alarme inutile
Dans la nuit qui survient troublerait trop la ville :

Puisqu'on fait bonne garde aux murs et sur le port,
Il suffit pour ce soir.

DON ALONSE

Sire, le Comte est mort,
Don Diègue par son fils a vengé son offense.

LE ROI

Dès que j'ai su l'affront, j'ai prévu la vengeance,   _ 640
Et j'ai voulu dès lors prévenir ce malheur.

DON ALONSE

Chimène à vos genoux apporte sa douleur,
Elle vient toute en pleurs vous demander justice.

LE ROI

Bien qu'à ses déplaisirs mon âme compatisse,
Ce que le Comte a fait semble avoir mérité   _ 645
Ce juste châtiment de sa témérité.
Quelque juste pourtant que puisse être sa peine,
Je ne puis sans regret perdre un tel Capitaine ;
Après un long service à mon État rendu,
Après son sang pour moi mille fois répandu,   _ 650
À quelques sentiments que son orgueil m'oblige,
Sa perte m'affaiblit, et son trépas m'afflige.

Scène 7

LE ROI, DON DIÈGUE, CHIMÈNE, DON SANCHE, DON ARIAS, DON ALONSE

CHIMÈNE

Sire, Sire, justice.

DON DIÈGUE

Ah ! Sire, écoutez-nous.

CHIMÈNE

Je me jette à vos pieds.

DON DIÈGUE

J'embrasse vos genoux.

CHIMÈNE

655 Je demande justice.

DON DIÈGUE

Entendez ma défense.

CHIMÈNE

Vengez-moi d'une mort…

DON DIÈGUE

Qui punit l'insolence.

CHIMÈNE

Rodrigue, Sire…

DON DIÈGUE

A fait un coup d'homme de bien.

CHIMÈNE

Il a tué mon père.

DON DIÈGUE

Il a vengé le sien.

CHIMÈNE

Au sang de ses sujets un Roi doit la justice.

DON DIÈGUE

Une vengeance juste est sans peur du supplice.   _ 660

LE ROI

Levez-vous l'un et l'autre, et parlez à loisir.
Chimène, je prends part à votre déplaisir,
D'une égale douleur je sens mon âme atteinte,
Vous¹ parlerez après, ne troublez pas sa plainte.

---

1. Le roi s'adresse à Don Diègue.

CHIMÈNE

665 Sire, mon père est mort, mes yeux ont vu son sang
Couler à gros bouillons de son généreux flanc,
Ce sang qui tant de fois garantit vos murailles,
Ce sang qui tant de fois vous gagna des batailles,
Ce sang qui tout sorti fume encor de courroux
670 De se voir répandu pour d'autres que pour vous,
Qu'au milieu des hasards[1] n'osait verser la guerre,
Rodrigue en votre Cour vient d'en couvrir la terre,
Et pour son coup d'essai son indigne attentat
D'un si ferme soutien a privé votre État,
675 De vos meilleurs soldats abattu l'assurance,
Et de vos ennemis relevé l'espérance.
J'arrivai sur le lieu sans force et sans couleur,
Je le trouvai sans vie. Excusez ma douleur,
Sire, la voix me manque à ce récit funeste,
680 Mes pleurs et mes soupirs vous diront mieux le reste.

LE ROI

Prends courage, ma fille, et sache qu'aujourd'hui
Ton Roi te veut servir de père au lieu de lui.

---

1. Dangers.

CHIMÈNE

Sire, de trop d'honneur ma misère est suivie.

J'arrivai donc sans force, et le trouvai sans vie,

Il ne me parla point mais pour mieux m'émouvoir — 685

Son sang sur la poussière écrivait mon devoir,

Ou plutôt sa valeur en cet état réduite

Me parlait par sa plaie et hâtait ma poursuite,

Et pour se faire entendre au plus juste des Rois

Par cette triste bouche elle empruntait ma voix. — 690

Sire, ne souffrez pas que sous votre puissance

Règne devant vos yeux une telle licence,

Que les plus valeureux avec impunité

Soient exposés aux coups de la témérité,

Qu'un jeune audacieux triomphe de leur gloire, — 695

Se baigne dans leur sang, et brave leur mémoire,

Un si vaillant guerrier qu'on vient de vous ravir

Éteint, s'il n'est vengé, l'ardeur de vous servir.

Enfin mon père est mort, j'en demande vengeance,

Plus pour votre intérêt que pour mon allégeance ; — 700

Vous perdez en la mort d'un homme de son rang,

Vengez-la par une autre, et le sang par le sang,

Sacrifiez Don Diègue, et toute sa famille,

À vous, à votre peuple, à toute la Castille,

Le Soleil qui voit tout ne voit rien sous les Cieux — 705

Qui vous puisse payer un sang si précieux.

LE ROI

Don Diègue, répondez.

DON DIÈGUE

Qu'on est digne d'envie
Quand avecque la force on perd aussi la vie,
Sire, et que l'âge apporte aux hommes généreux
710 _ Avecque sa faiblesse un destin malheureux !
Moi dont les longs travaux ont acquis tant de gloire,
Moi que jadis partout a suivi la victoire,
Je me vois aujourd'hui pour avoir trop vécu
Recevoir un affront, et demeurer vaincu.
715 _ Ce que n'a pu jamais combat, siège, embuscade,
Ce que n'a pu jamais Aragon, ni Grenade,
Ni tous vos ennemis, ni tous mes envieux,
L'orgueil dans votre Cour l'a fait presque à vos yeux,
Et souillé sans respect l'honneur de ma vieillesse,
720 _ Avantagé de l'âge, et fort de ma faiblesse.
Sire, ainsi ces cheveux blanchis sous le harnois,
Ce sang pour vous servir prodigué tant de fois,
Ce bras jadis l'effroi d'une armée ennemie,
Descendaient au tombeau tous chargés d'infamie,
725 _ Si je n'eusse produit un fils digne de moi,
Digne de son pays, et digne de son Roi.
Il m'a prêté sa main, il a tué le Comte,
Il m'a rendu l'honneur, il a lavé ma honte.

Si montrer du courage et du ressentiment,
Si venger un soufflet mérite un châtiment, _ 730
Sur moi seul doit tomber l'éclat de la tempête :
Quand le bras a failli l'on en punit la tête ;
Du crime glorieux qui cause nos débats,
Sire, j'en suis la tête, il n'en est que le bras,
Si Chimène se plaint qu'il a tué son père, _ 735
Il ne l'eût jamais fait, si je l'eusse pu faire.
Immolez donc ce chef que les ans vont ravir,
Et conservez pour vous le bras qui peut servir,
Aux dépens de mon sang satisfaites Chimène,
Je n'y résiste point, je consens à ma peine, _ 740
Et loin de murmurer d'un injuste décret
Mourant sans déshonneur je mourrai sans regret.

LE ROI

L'affaire est d'importance et, bien considérée,
Mérite en plein conseil d'être délibérée.
Don Sanche, remettez Chimène en sa maison, _ 745
Don Diègue aura ma Cour et sa foi pour prison.
Qu'on me cherche son fils. Je vous ferai justice.

CHIMÈNE

Il est juste, grand Roi, qu'un meurtrier périsse.

LE ROI

Prends du repos, ma fille, et calme tes douleurs.

CHIMÈNE

750 _ M'ordonner du repos, c'est croître mes malheurs.

ACTE III

Scène 1

DON RODRIGUE, ELVIRE

ELVIRE

Rodrigue, qu'as-tu fait? où viens-tu, misérable?

DON RODRIGUE

Suivre le triste cours de mon sort déplorable.

ELVIRE

Où prends-tu cette audace et ce nouvel orgueil
De paraître en des lieux que tu remplis de deuil?
Quoi? viens-tu jusqu'ici braver l'ombre du Comte? _ 755
Ne l'as-tu pas tué?

DON RODRIGUE

        Sa vie était ma honte,
Mon honneur de ma main a voulu cet effort.

ELVIRE

Mais chercher ton asile en la maison du mort!
Jamais un meurtrier en fit-il son refuge?

DON RODRIGUE

760 _ Jamais un meurtrier s'offrit-il à son Juge?
Ne me regarde plus d'un visage étonné,
Je cherche le trépas après l'avoir donné,
Mon Juge est mon amour, mon Juge est ma Chimène,
Je mérite la mort de mériter sa haine,
765 _ Et j'en viens recevoir comme un bien souverain,
Et l'arrêt de sa bouche, et le coup de sa main.

ELVIRE

Fuis plutôt de ses yeux, fuis de sa violence,
À ses premiers transports dérobe ta présence ;
Va, ne t'expose point aux premiers mouvements
770 _ Que poussera[1] l'ardeur de ses ressentiments.

DON RODRIGUE

Non, non, ce cher objet[2] à qui j'ai pu déplaire
Ne peut pour mon supplice avoir trop de colère,
Et d'un heur[3] sans pareil je me verrai combler
Si pour mourir plutôt[4] je la puis redoubler.

---

1. Fera naître.
2. Personne aimée. Voir *Les mots ont une histoire*, p. 156.
3. Vous connaissez sûrement un terme composé avec un préfixe et la racine heur : malheur. Le malheur est la malchance, donc par conséquent que signifie heur ?
4. Plus tôt, plus vite.

ELVIRE

Chimène est au Palais de pleurs toute baignée,   — 775
Et n'en reviendra point que bien accompagnée.
Rodrigue, fuis de grâce, ôte-moi de souci,
Que ne dira-t-on point si l'on te voit ici?
Veux-tu qu'un médisant l'accuse en sa misère
D'avoir reçu chez soi l'assassin de son père?   — 780
Elle va revenir, elle vient, je la vois.
Du moins pour son honneur, Rodrigue, cache-toi.

Il se cache.

Scène 2

DON SANCHE, CHIMÈNE, ELVIRE

DON SANCHE

Oui, Madame, il vous faut de sanglantes victimes,
Votre colère est juste, et vos pleurs légitimes,
Et je n'entreprends pas à force de parler,   — 785
Ni de vous adoucir, ni de vous consoler.
Mais si de vous servir je puis être capable,
Employez mon épée à punir le coupable,
Employez mon amour à venger cette mort,
Sous vos commandements mon bras sera trop fort.   — 790

CHIMÈNE

Malheureuse !

DON SANCHE

Madame, acceptez mon service.

CHIMÈNE

J'offenserais le Roi, qui m'a promis justice.

DON SANCHE

Vous savez qu'elle marche avec tant de langueur
Que bien souvent le crime échappe à sa longueur,
795 _ Son cours lent et douteux fait trop perdre de larmes ;
Souffrez qu'un Chevalier vous venge par les armes,
La voie en est plus sûre, et plus prompte à punir.

CHIMÈNE

C'est le dernier remède, et s'il y faut venir,
Et que de mes malheurs cette pitié vous dure,
800 _ Vous serez libre alors de venger mon injure.

DON SANCHE

C'est l'unique bonheur où mon âme prétend,
Et pouvant l'espérer je m'en vais trop content.

Scène 3

CHIMÈNE, ELVIRE

CHIMÈNE

Enfin je me vois libre, et je puis sans contrainte
De mes vives douleurs te faire voir l'atteinte,
Je puis donner passage à mes tristes soupirs,   _ 805
Je puis t'ouvrir mon âme, et tous mes déplaisirs.
Mon père est mort, Elvire, et la première épée
Dont s'est armé Rodrigue a sa trame coupée[1].
Pleurez, pleurez mes yeux, et fondez-vous en eau,
La moitié de ma vie a mis l'autre au tombeau,   _ 810
Et m'oblige à venger, après ce coup funeste,
Celle que je n'ai plus, sur celle qui me reste.

ELVIRE

Reposez-vous, Madame.

CHIMÈNE

                                Ah! que mal à propos
Ton avis importun m'ordonne du repos!
Par où sera jamais mon âme satisfaite   _ 815
Si je pleure ma perte, et la main qui l'a faite?
Et que puis-je espérer qu'un tourment éternel
Si je poursuis un crime aimant le criminel?

---

1. A tranché le fil de sa vie.

ELVIRE

Il vous prive d'un père, et vous l'aimez encore !

CHIMÈNE

820 _ C'est peu de dire aimer, Elvire, je l'adore :
Ma passion s'oppose à mon ressentiment,
Dedans mon ennemi je trouve mon amant,
Et je sens qu'en dépit de toute ma colère
Rodrigue dans mon cœur combat encor mon père.
825 _ Il l'attaque, il le presse, il cède, il se défend,
Tantôt fort, tantôt faible, et tantôt triomphant :
Mais en ce dur combat de colère et de flamme
Il déchire mon cœur sans partager mon âme,
Et quoi que mon amour ait sur moi de pouvoir
830 _ Je ne consulte point pour suivre mon devoir,
Je cours sans balancer où mon honneur m'oblige ;
Rodrigue m'est bien cher, son intérêt m'afflige,
Mon cœur prend son parti, mais contre leur effort
Je sais que je suis fille, et que mon père est mort.

ELVIRE

835 _ Pensez-vous le poursuivre ?

CHIMÈNE

                              Ah ! cruelle pensée,
Et cruelle poursuite où je me vois forcée !

Je demande sa tête, et crains de l'obtenir,
Ma mort suivra la sienne, et je le veux punir.

ELVIRE

Quittez, quittez, Madame, un dessein si tragique,
Ne vous imposez point de loi si tyrannique.   _ 840

CHIMÈNE

Quoi ? J'aurai vu mourir mon père entre mes bras
Son sang criera vengeance et je ne l'orrai[1] pas !
Mon cœur honteusement surpris par d'autres charmes
Croira ne lui devoir que d'impuissantes larmes !
Et je pourrai souffrir qu'un amour suborneur   _ 845
Dans un lâche silence étouffe mon honneur !

ELVIRE

Madame, croyez-moi, vous serez excusable
De conserver pour vous un homme incomparable,
Un amant si chéri ; vous avez assez fait,
Vous avez vu le Roi, n'en pressez point d'effet,   _ 850
Ne vous obstinez point en cette humeur étrange.

_____

1. Entendrai, c'est le futur du verbe « ouïr ».

CHIMÈNE

Il y va de ma gloire, il faut que je me venge,
Et de quoi que nous flatte un désir amoureux,
Toute excuse est honteuse aux esprits généreux.

ELVIRE

855 — Mais vous aimez Rodrigue, il ne vous peut déplaire.

CHIMÈNE

Je l'avoue.

ELVIRE

Après tout que pensez-vous donc faire?

CHIMÈNE

Pour conserver ma gloire, et finir mon ennui,
Le poursuivre, le perdre, et mourir après lui.

Scène 4

DON RODRIGUE, CHIMÈNE, ELVIRE

DON RODRIGUE

Eh bien, sans vous donner la peine de poursuivre,
860 — Saoulez-vous du plaisir de m'empêcher de vivre.

CHIMÈNE

Elvire, où sommes-nous ? et qu'est-ce que je vois ?
Rodrigue en ma maison ! Rodrigue devant moi !

DON RODRIGUE

N'épargnez point mon sang, goûtez sans résistance
La douceur de ma perte et de votre vengeance.

CHIMÈNE

Hélas !

_ 865

DON RODRIGUE

Écoute-moi.

CHIMÈNE

Je me meurs.

DON RODRIGUE

Un moment.

CHIMÈNE

Va, laisse-moi mourir.

DON RODRIGUE

Quatre mots seulement,
Après ne me réponds qu'avecque cette épée.

CHIMÈNE

Quoi ? du sang de mon père encor toute trempée !

DON RODRIGUE

Ma Chimène.

CHIMÈNE

Ôte-moi cet objet[1] odieux
870 _ Qui reproche ton crime et ta vie à mes yeux.

DON RODRIGUE

Regarde-le plutôt pour exciter ta haine,
Pour croître ta colère, et pour hâter ma peine.

CHIMÈNE

Il est teint de mon sang.

DON RODRIGUE

Plonge-le dans le mien,
Et fais-lui perdre ainsi la teinture du tien.

CHIMÈNE

875 _ Ah ! quelle cruauté, qui tout en un jour tue

---

1. Le mot est utilisé au sens propre cette fois.

Le père par le fer, la fille par la vue !
Ôte-moi cet objet, je ne le puis souffrir,
Tu veux que je t'écoute et tu me fais mourir.

DON RODRIGUE

Je fais ce que tu veux, mais sans quitter l'envie
De finir par tes mains ma déplorable[1] vie ;   _ 880
Car enfin n'attends pas de mon affection
Un lâche repentir d'une bonne action :
De la main de ton père un coup irréparable
Déshonorait du mien la vieillesse honorable,
Tu sais comme un soufflet touche un homme de cœur ;   _ 885
J'avais part à l'affront, j'en ai cherché l'auteur,
Je l'ai vu, j'ai vengé mon honneur et mon père,
Je le ferais encor, si j'avais à le faire.
Ce n'est pas qu'en effet contre mon père et moi
Ma flamme assez longtemps n'ait combattu pour toi :   _ 890
Juge de son pouvoir ; dans une telle offense
J'ai pu douter encor si j'en prendrais vengeance,
Réduit à te déplaire, ou souffrir un affront,
J'ai retenu ma main, j'ai cru mon bras trop prompt,
Je me suis accusé de trop de violence :   _ 895
Et ta beauté sans doute emportait la balance,
Si je n'eusse opposé contre tous tes appas

---

1. Digne d'être pleurée.

Qu'un homme sans honneur ne te méritait pas,

Qu'après m'avoir chéri quand je vivais sans blâme

900 _ Qui m'aima généreux, me haïrait infâme,

Qu'écouter ton amour, obéir à sa voix,

C'était m'en rendre indigne et diffamer ton choix.

Je te le dis encore, et veux, tant que j'expire,

Sans cesse le penser et sans cesse le dire :

905 _ Je t'ai fait une offense, et j'ai dû m'y porter,

Pour effacer ma honte et pour te mériter.

Mais, quitte envers l'honneur, et quitte envers mon père,

C'est maintenant à toi que je viens satisfaire,

C'est pour t'offrir mon sang qu'en ce lieu tu me vois,

910 _ J'ai fait ce que j'ai dû, je fais ce que je dois.

Je sais qu'un père mort t'arme contre mon crime,

Je ne t'ai pas voulu dérober ta victime,

Immole[1] avec courage au sang qu'il a perdu

Celui qui met sa gloire à l'avoir répandu.

CHIMÈNE

915 _ Ah Rodrigue ! il est vrai, quoique ton ennemie,

Je ne te puis blâmer d'avoir fui l'infamie,

Et de quelque façon qu'éclatent mes douleurs,

Je ne t'accuse point, je pleure mes malheurs.

Je sais ce que l'honneur, après un tel outrage,

---

1. Sacrifie.

Demandait à l'ardeur d'un généreux courage, _ 920
Tu n'as fait le devoir que d'un homme de bien ;
Mais aussi, le faisant, tu m'as appris le mien.
Ta funeste valeur m'instruit par ta victoire ;
Elle a vengé ton père et soutenu ta gloire,
Même soin me regarde, et j'ai, pour m'affliger, _ 925
Ma gloire à soutenir, et mon père à venger.
Hélas ! ton intérêt ici me désespère.
Si quelque autre malheur m'avait ravi mon père,
Mon âme aurait trouvé dans le bien de te voir
L'unique allégement qu'elle eût pu recevoir, _ 930
Et contre ma douleur j'aurais senti des charmes
Quand une main si chère eût essuyé mes larmes.
Mais il me faut te perdre après l'avoir perdu ;
Et pour mieux tourmenter mon esprit éperdu,
Avec tant de rigueur mon astre me domine, _ 935
Qu'il me faut travailler moi-même à ta ruine ;
Car enfin n'attends pas de mon affection
De lâches sentiments pour ta punition :
De quoi qu'en ta faveur notre amour m'entretienne
Ma générosité doit répondre à la tienne, _ 940
Tu t'es en m'offensant montré digne de moi,
Je me dois par ta mort montrer digne de toi.

DON RODRIGUE

Ne diffère donc plus ce que l'honneur t'ordonne,

Il demande ma tête et je te l'abandonne,

945 _ Fais-en un sacrifice à ce noble intérêt,

Le coup m'en sera doux aussi bien que l'arrêt.

Attendre après mon crime une lente justice

C'est reculer ta gloire autant que mon supplice,

Je mourrai trop heureux mourant d'un coup si beau.

CHIMÈNE

950 _ Va, je suis ta partie[1], et non pas ton bourreau.

Si tu m'offres ta tête, est-ce à moi de la prendre ?

Je la dois attaquer, mais tu dois la défendre,

C'est d'un autre que toi qu'il me faut l'obtenir

Et je dois te poursuivre et non pas te punir.

DON RODRIGUE

955 _ De quoi qu'en ma faveur notre amour t'entretienne,

Ta générosité doit répondre à la mienne.

Et pour venger un père emprunter d'autres bras,

Ma Chimène, crois-moi, c'est n'y répondre pas :

Ma main seule du mien a su venger l'offense,

960 _ Ta main seule du tien doit prendre la vengeance.

---

1. Partie adverse (sens juridique).

CHIMÈNE

Cruel, à quel propos sur ce point t'obstiner ?
Tu t'es vengé sans aide et tu m'en veux donner !
Je suivrai ton exemple, et j'ai trop de courage
Pour souffrir qu'avec toi ma gloire se partage :
Mon père et mon honneur ne veulent rien devoir — 965
Aux traits de ton amour, ni de ton désespoir.

DON RODRIGUE

Rigoureux point d'honneur ! hélas ! quoi que je fasse
Ne pourrai-je à la fin obtenir cette grâce ?
Au nom d'un père mort, ou de notre amitié,
Punis-moi par vengeance, ou du moins par pitié, — 970
Ton malheureux amant aura bien moins de peine
À mourir par ta main, qu'à vivre avec ta haine.

CHIMÈNE

Va, je ne te hais point.

DON RODRIGUE

Tu le dois.

CHIMÈNE

Je ne puis.

DON RODRIGUE

Crains-tu si peu le blâme, et si peu les faux bruits ?
975 _ Quand on saura mon crime et que ta flamme dure,
Que ne publieront point l'envie et l'imposture ?
Force-les au silence, et sans plus discourir
Sauve ta renommée en me faisant mourir.

CHIMÈNE

Elle éclate bien mieux en te laissant en vie,
980 _ Et je veux que la voix de la plus noire envie
Élève au Ciel ma gloire, et plaigne mes ennuis,
Sachant que je t'adore et que je te poursuis.
Va-t'en, ne montre plus à ma douleur extrême
Ce qu'il faut que je perde, encore que[1] je l'aime,
985 _ Dans l'ombre de la nuit cache bien ton départ,
Si l'on te voit sortir, mon honneur court hasard[2],
La seule occasion qu'aura la médisance
C'est de savoir qu'ici j'ai souffert ta présence,
Ne lui donne point lieu d'attaquer ma vertu.

DON RODRIGUE

990 _ Que je meure.

---

1. Bien que.
2. Danger.

CHIMÈNE

Va-t'en.

DON RODRIGUE

À quoi te résous-tu?

CHIMÈNE

Malgré des feux si beaux qui rompent ma colère,
Je ferai mon possible à bien venger mon père,
Mais malgré la rigueur d'un si cruel devoir,
Mon unique souhait est de ne rien pouvoir.

DON RODRIGUE

Ô miracle d'amour!   _ 995

CHIMÈNE

Mais comble de misères.

DON RODRIGUE

Que de maux et de pleurs nous coûteront nos pères!

CHIMÈNE

Rodrigue, qui l'eût cru!

DON RODRIGUE

Chimène, qui l'eût dit!

CHIMÈNE

Que notre heur fût si proche et si tôt se perdît!

DON RODRIGUE

Et que si près du port, contre toute apparence,
1000 _ Un orage si prompt brisât notre espérance!

CHIMÈNE

Ah, mortelles douleurs!

DON RODRIGUE

Ah, regrets superflus!

CHIMÈNE

Va-t'en, encore un coup[1], je ne t'écoute plus.

DON RODRIGUE

Adieu, je vais traîner une mourante vie,
Tant que par ta poursuite elle me soit ravie.

CHIMÈNE

1005 _ Si j'en obtiens l'effet, je te donne ma foi
De ne respirer pas un moment après toi.
Adieu, sors, et surtout garde bien qu'on te voie.

---

1. Encore une fois.

ELVIRE

Madame, quelques maux que le Ciel nous envoie…

CHIMÈNE

Ne m'importune plus, laisse-moi soupirer,
Je cherche le silence, et la nuit pour pleurer.   _ 1010

Scène 5

DON DIÈGUE, *seul.*

Jamais nous ne goûtons de parfaite allégresse,
Nos plus heureux succès sont mêlés de tristesse,
Toujours quelques soucis en ces événements
Troublent la pureté de nos contentements :
Au milieu du bonheur mon âme en sent l'atteinte,   _ 1015
Je nage dans la joie et je tremble de crainte,
J'ai vu mort l'ennemi qui m'avait outragé,
Et je ne saurais voir la main qui m'a vengé,
En vain je m'y travaille[1] et d'un soin inutile
Tout cassé que je suis je cours toute la ville,   _ 1020
Si peu que mes vieux ans m'ont laissé de vigueur
Se consomme[2] sans fruit à chercher ce vainqueur.

---

1. Je m'y emploie.
2. Se consume, se dépense.

À toute heure, en tous lieux, dans une nuit si sombre,
Je pense l'embrasser, et n'embrasse qu'une ombre,
1025 _ Et mon amour, déçu par cet objet trompeur,
Se forme des soupçons qui redoublent ma peur,
Je ne découvre point de marques de sa fuite,
Je crains du Comte mort les amis et la suite ;
Leur nombre m'épouvante et confond ma raison,
1030 _ Rodrigue ne vit plus, ou respire en prison.
Justes Cieux ! me trompé-je[1] encore à l'apparence,
Ou si je vois enfin mon unique espérance ?
C'est lui, n'en doutons plus, mes vœux sont exaucés ;
Ma crainte est dissipée, et mes ennuis cessés.

Scène 6

DON DIÈGUE, DON RODRIGUE

DON DIÈGUE

1035 _ Rodrigue, enfin le Ciel permet que je te voie !

DON RODRIGUE

Hélas !

DON DIÈGUE

Ne mêle point de soupirs à ma joie ;

---

1. Avec l'inversion du sujet et du verbe, la voyelle finale du verbe doit être accentuée afin que la prononciation soit simplifiée.

Laisse-moi prendre haleine afin de te louer,
Ma valeur n'a point lieu de te désavouer,
Tu l'as bien imitée, et ton illustre audace
Fait bien revivre en toi les Héros de ma race ;   _ 1040
C'est d'eux que tu descends, c'est de moi que tu viens,
Ton premier coup d'épée égale tous les miens,
Et d'une belle ardeur ta jeunesse animée
Par cette grande épreuve atteint ma renommée.
Appui de ma vieillesse, et comble de mon heur,   _ 1045
Touche ces cheveux blancs à qui tu rends l'honneur,
Viens baiser cette joue et reconnais la place
Où fut jadis l'affront que ton courage efface.

DON RODRIGUE

L'honneur vous en est dû, les Cieux me sont témoins
Qu'étant sorti de vous je ne pouvais pas moins ;   _ 1050
Je me tiens trop heureux, et mon âme est ravie
Que mon coup d'essai plaise à qui je dois la vie.
Mais parmi vos plaisirs ne soyez point jaloux
Si j'ose satisfaire à moi-même après vous ;
Souffrez qu'en liberté mon désespoir éclate,   _ 1055
Assez et trop longtemps votre discours le flatte,
Je ne me repens point de vous avoir servi,
Mais rendez-moi le bien que ce coup m'a ravi,
Mon bras pour vous venger armé contre ma flamme
Par ce coup glorieux m'a privé de mon âme,   _ 1060

Ne me dites plus rien, pour vous j'ai tout perdu.
Ce que je vous devais, je vous l'ai bien rendu.

DON DIÈGUE

Porte encore plus haut le fruit de ta victoire.
Je t'ai donné la vie, et tu me rends ma gloire,
1065 _ Et d'autant que l'honneur m'est plus cher que le jour,
D'autant plus maintenant je te dois de retour[1].
Mais d'un si brave cœur éloigne ces faiblesses,
Nous n'avons qu'un honneur, il est tant de maîtresses;
L'amour n'est qu'un plaisir, et l'honneur un devoir.

DON RODRIGUE

1070 _ Ah! que me dites-vous?

DON DIÈGUE

Ce que tu dois savoir.

DON RODRIGUE

Mon honneur offensé sur moi-même se venge,
Et vous m'osez pousser à la honte du change[2]!
L'infamie est pareille et suit également
Le guerrier sans courage et le perfide amant.
1075 _ À ma fidélité ne faites point d'injure,

---

1. Je te dois d'autant plus que l'honneur m'est cher.
2. Inconstance, infidélité.

Souffrez-moi généreux sans me rendre parjure,

Mes liens sont trop forts pour être ainsi rompus,

Ma foi m'engage encor si je n'espère plus,

Et ne pouvant quitter ni posséder Chimène,

Le trépas que je cherche est ma plus douce peine. — 1080

DON DIÈGUE

Il n'est pas temps encor de chercher le trépas,

Ton Prince et ton pays ont besoin de ton bras.

La flotte qu'on craignait dans ce grand fleuve[1] entrée

Vient surprendre la ville et piller la contrée,

Les Mores vont descendre et le flux et la nuit — 1085

Dans une heure à nos murs les amène sans bruit,

La Cour est en désordre et le peuple en alarmes,

On n'entend que des cris, on ne voit que des larmes :

Dans ce malheur public mon bonheur a permis

Que j'aie trouvé chez moi cinq cents de mes amis[2], — 1090

Qui sachant mon affront poussés d'un même zèle

Venaient m'offrir leur vie à venger ma querelle.

Tu les as prévenus[3], mais leurs vaillantes mains

Se tremperont bien mieux au sang des Africains.

Va marcher à leur tête où l'honneur te demande, — 1095

---

1. Nous sommes à Séville, le fleuve qui traverse la ville et se jette dans l'Atlantique est le Guadalquivir.
2. Cinq cents de mes amis : ce nombre étonnant n'est peut-être pas impossible pour un aristocrate, dont l'entourage était nombreux. Cependant, même à l'époque, le nombre a choqué.
3. Devancés.

C'est toi que veut pour Chef leur généreuse bande :
De ces vieux ennemis va soutenir l'abord[1],
Là, si tu veux mourir, trouve une belle mort,
Prends-en l'occasion puisqu'elle t'est offerte,
1100 _ Fais devoir à ton Roi son salut à ta perte.
Mais reviens-en plutôt les palmes sur le front,
Ne borne pas ta gloire à venger un affront,
Pousse-la plus avant, force par ta vaillance
La justice au pardon et Chimène au silence ;
1105 _ Si tu l'aimes, apprends que retourner vainqueur
C'est l'unique moyen de regagner son cœur.
Mais le temps est trop cher pour le perdre en paroles,
Je t'arrête en discours et je veux que tu voles,
Viens, suis-moi, va combattre, et montrer à ton Roi
1110 _ Que ce qu'il perd au Comte il le recouvre en toi.

---

1. Arrivée par mer.

ACTE IV

Scène 1

CHIMÈNE, ELVIRE

CHIMÈNE

N'est-ce point un faux bruit? le sais-tu bien, Elvire?

ELVIRE

Vous ne croiriez jamais comme chacun l'admire,
Et porte jusqu'au Ciel d'une commune voix
De ce jeune Héros les glorieux exploits.
Les Mores devant lui n'ont paru qu'à leur honte,   _ 1115
Leur abord fut bien prompt, leur fuite encor plus prompte,
Trois heures de combat laissent à nos guerriers
Une victoire entière et deux Rois prisonniers;
La valeur de leur chef ne trouvait point d'obstacles.

CHIMÈNE

Et la main de Rodrigue a fait tous ces miracles!   _ 1120

ELVIRE

De ses nobles efforts ces deux Rois sont le prix,
Sa main les a vaincus et sa main les a pris.

CHIMÈNE

De qui peux-tu savoir ces nouvelles étranges?

ELVIRE

Du peuple qui partout fait sonner ses louanges,
1125 _ Le nomme de sa joie, et l'objet, et l'auteur,
Son Ange tutélaire, et son libérateur.

CHIMÈNE

Et le Roi, de quel œil voit-il tant de vaillance?

ELVIRE

Rodrigue n'ose encor paraître en sa présence,
Mais Don Diègue ravi lui présente enchaînés
1130 _ Au nom de ce vainqueur ces captifs couronnés,
Et demande pour grâce à ce généreux Prince
Qu'il daigne voir la main qui sauve sa Province.

CHIMÈNE

Mais n'est-il point blessé?

ELVIRE

Je n'en ai rien appris.
Vous changez de couleur, reprenez vos esprits.

CHIMÈNE

Reprenons donc aussi ma colère affaiblie.   _ 1135
Pour avoir soin de lui faut-il que je m'oublie ?
On le vante, on le loue et mon cœur y consent !
Mon honneur est muet, mon devoir impuissant !
Silence mon amour, laisse agir ma colère,
S'il a vaincu deux Rois, il a tué mon père,   _ 1140
Ces tristes vêtements où je lis mon malheur
Sont les premiers effets qu'ait produits sa valeur,
Et combien que pour lui tout un peuple s'anime,
Ici tous les objets me parlent de son crime.
Vous qui rendez la force à mes ressentiments,   _ 1145
Voile, crêpes, habits, lugubres ornements,
Pompe¹ où m'ensevelit sa première victoire,
Contre ma passion soutenez bien ma gloire
Et lorsque mon amour prendra trop de pouvoir,
Parlez à mon esprit de mon triste devoir,   _ 1150
Attaquez sans rien craindre une main triomphante.

ELVIRE

Modérez ces transports, voici venir l'Infante.

---

1. Pompe funèbre, apparat de deuil.

Scène 2
L'INFANTE, CHIMÈNE, LÉONOR, ELVIRE

L'INFANTE

Je ne viens pas ici consoler tes douleurs,
Je viens plutôt mêler mes soupirs à tes pleurs.

CHIMÈNE

1155 _ Prenez bien plutôt part à la commune joie,
Et goûtez le bonheur que le Ciel vous envoie :
Madame, autre que[1] moi n'a droit de soupirer,
Le péril dont Rodrigue a su vous retirer,
Et le salut public que vous rendent ses armes
1160 _ À moi seule aujourd'hui permet encor les larmes ;
Il a sauvé la ville, il a servi son Roi,
Et son bras valeureux n'est funeste qu'à moi.

L'INFANTE

Ma Chimène, il est vrai qu'il a fait des merveilles.

CHIMÈNE

Déjà ce bruit fâcheux a frappé mes oreilles,
1165 _ Et je l'entends partout publier hautement
Aussi brave guerrier que malheureux amant.

---

1. Personne d'autre que.

L'INFANTE

Qu'a de fâcheux pour toi ce discours populaire ?
Ce jeune Mars qu'il loue a su jadis te plaire,
Il possédait ton âme, il vivait sous tes lois,
Et vanter sa valeur c'est honorer ton choix.   — 1170

CHIMÈNE

J'accorde que chacun la vante avec justice,
Mais pour moi sa louange est un nouveau supplice,
On aigrit¹ ma douleur en l'élevant si haut,
Je vois ce que je perds, quand je vois ce qu'il vaut.
Ah cruels déplaisirs à l'esprit d'une amante !   — 1175
Plus j'apprends son mérite et plus mon feu s'augmente,
Cependant mon devoir est toujours le plus fort
Et malgré mon amour va poursuivre sa mort.

L'INFANTE

Hier ce devoir te mit en une haute estime,
L'effort que tu te fis parut si magnanime,   — 1180
Si digne d'un grand cœur, que chacun à la Cour
Admirait ton courage et plaignait ton amour.
Mais croirais-tu l'avis d'une amitié fidèle ?

---

1. On accentue.

CHIMÈNE

Ne vous obéir pas me rendrait criminelle.

L'INFANTE

1185 — Ce qui fut bon alors ne l'est plus aujourd'hui.
Rodrigue maintenant est notre unique appui,
L'espérance et l'amour d'un peuple qui l'adore,
Le soutien de Castille et la terreur du More,
Ses faits[1] nous ont rendu ce qu'ils nous ont ôté,
1190 — Et ton père en lui seul se voit ressuscité,
Et si tu veux enfin qu'en deux mots je m'explique,
Tu poursuis en sa mort la ruine publique,
Quoi ? pour venger un père est-il jamais permis
De livrer sa patrie aux mains des ennemis ?
1195 — Contre nous ta poursuite est-elle légitime ?
Et pour être punis avons-nous part au crime ?
Ce n'est pas qu'après tout tu doives épouser
Celui qu'un père mort t'obligeait d'accuser,
Je te voudrais moi-même en arracher l'envie ;
1200 — Ôte-lui ton amour, mais laisse-nous sa vie.

CHIMÈNE

Ah ! Madame, souffrez qu'avecque liberté
Je pousse jusqu'au bout ma générosité.

---

1. Ses exploits.

Quoique mon cœur pour lui contre moi s'intéresse,
Quoiqu'un peuple l'adore, et qu'un Roi le caresse¹,
Qu'il soit environné des plus vaillants guerriers,   _ 1205
J'irai sous mes Cyprès accabler ses lauriers².

L'INFANTE

C'est générosité, quand pour venger un père
Notre devoir attaque une tête si chère :
Mais c'en est une encor d'un plus illustre rang,
Quand on donne³ au public les intérêts du sang.   _ 1210
Non, crois-moi, c'est assez que d'éteindre ta flamme,
Il sera trop puni s'il n'est plus dans ton âme ;
Que le bien du pays t'impose cette loi ;
Aussi bien, que crois-tu que t'accorde le Roi ?

CHIMÈNE

Il peut me refuser, mais je ne me puis taire.   _ 1215

L'INFANTE

Pense bien, ma Chimène, à ce que tu veux faire.
Adieu, tu pourras seule y songer à loisir.

---

1. Lui exprime son amitié.
2. Le cyprès était dans l'Antiquité symbole de deuil, et les lauriers symbole de gloire.
3. Abandonne, sacrifie.

CHIMÈNE

Après mon père mort je n'ai point à choisir.

Scène 3

LE ROI, DON DIÈGUE, DON ARIAS,
DON RODRIGUE, DON SANCHE

LE ROI

Généreux héritier d'une illustre famille

1220 _ Qui fut toujours la gloire et l'appui de Castille,

Race de tant d'aïeux en valeur signalés

Que l'essai de la tienne a si tôt égalés,

Pour te récompenser ma force est trop petite,

Et j'ai moins de pouvoir que tu n'as de mérite.

1225 _ Le pays délivré d'un si rude ennemi,

Mon sceptre dans ma main par la tienne affermi,

Et les Mores défaits avant qu'en ces alarmes

J'eusse pu donner ordre à repousser leurs armes,

Ne sont point des exploits qui laissent à ton Roi

1230 _ Le moyen ni l'espoir de s'acquitter vers[1] toi.

Mais deux Rois, tes captifs, feront ta récompense,

Ils t'ont nommé tous deux leur Cid en ma présence,

Puisque Cid en leur langue est autant que Seigneur[2],

Je ne t'envierai pas ce beau titre d'honneur.

---

1. Envers.
2. Corneille rappelle ici la traduction du mot espagnol « Cid ».

Sois désormais le Cid, qu'à ce grand nom tout cède,   _ 1235
Qu'il devienne l'effroi de Grenade et Tolède,
Et qu'il marque à tous ceux qui vivent sous mes lois
Et ce que tu me vaux et ce que je te dois.

DON RODRIGUE

Que Votre Majesté, Sire, épargne ma honte,
D'un si faible service elle fait trop de compte,   _ 1240
Et me force à rougir devant un si grand Roi
De mériter si peu l'honneur que j'en reçois.
Je sais trop que je dois au bien de votre Empire
Et le sang qui m'anime et l'air que je respire,
Et quand je les perdrai pour un si digne objet,   _ 1245
Je ferai seulement le devoir d'un sujet.

LE ROI

Tous ceux que ce devoir à mon service engage
Ne s'en acquittent pas avec même courage,
Et lorsque la valeur ne va point dans l'excès,
Elle ne produit point de si rares succès.   _ 1250
Souffre donc qu'on te loue, et de cette victoire
Apprends-moi plus au long la véritable histoire.

DON RODRIGUE

Sire, vous avez su qu'en ce danger pressant
Qui jeta dans la ville un effroi si puissant,

1255 _ Une troupe d'amis chez mon père assemblée
Sollicita mon âme encor toute troublée.
Mais, Sire, pardonnez à ma témérité,
Si j'osai l'employer sans votre autorité;
Le péril approchait, leur brigade était prête,
1260 _ Et paraître à la Cour eût hasardé ma tête,
Qu'à défendre l'État j'aimais bien mieux donner,
Qu'aux plaintes de Chimène ainsi l'abandonner.

LE ROI

J'excuse ta chaleur à venger ton offense,
Et l'État défendu me parle en ta défense :
1265 _ Crois que dorénavant Chimène a beau parler,
Je ne l'écoute plus que pour la consoler.
Mais poursuis.

DON RODRIGUE

Sous moi[1] donc cette troupe s'avance,
Et porte sur le front une mâle assurance :
Nous partîmes cinq cents, mais par un prompt renfort,
1270 _ Nous nous vîmes trois mille en arrivant au port,
Tant à nous voir marcher en si bon équipage
Les plus épouvantés reprenaient de courage.
J'en cache les deux tiers, aussitôt qu'arrivés,

---

1. Sous mes ordres.

Dans le fond des vaisseaux qui lors furent trouvés :
Le reste, dont le nombre augmentait à toute heure,   _ 1275
Brûlant d'impatience autour de moi demeure,
Se couche contre terre, et sans faire aucun bruit,
Passe une bonne part d'une si belle nuit.
Par mon commandement la garde en fait de même,
Et se tenant cachée aide à mon stratagème,   _ 1280
Et je feins hardiment d'avoir reçu de vous
L'ordre qu'on me voit suivre, et que je donne à tous.
Cette obscure clarté qui tombe des étoiles
Enfin avec le flux nous fit voir trente voiles ;
L'onde s'enflait dessous, et d'un commun effort   _ 1285
Les Mores, et la mer entrèrent dans le port.
On les laisse passer, tout leur paraît tranquille,
Point de soldats au port, point aux murs de la ville,
Notre profond silence abusant leurs esprits
Ils n'osent plus douter de nous avoir surpris,   _ 1290
Ils abordent sans peur, ils ancrent, ils descendent
Et courent se livrer aux mains qui les attendent :
Nous nous levons alors et tous en même temps
Poussons jusques au Ciel mille cris éclatants,
Les nôtres au signal de nos vaisseaux répondent,   _ 1295
Ils paraissent armés, les Mores se confondent¹,
L'épouvante les prend à demi descendus,

---

1. Sont pris par la confusion, le désordre.

Avant que de combattre ils s'estiment perdus,
Ils couraient au pillage, et rencontrent la guerre,
1300 _ Nous les pressons sur l'eau, nous les pressons sur terre
Et nous faisons courir des ruisseaux de leur sang
Avant qu'aucun résiste, ou reprenne son rang.
Mais bientôt malgré nous leurs Princes les rallient,
Leur courage renaît, et leurs terreurs s'oublient,
1305 _ La honte de mourir sans avoir combattu
Rétablit[1] leur désordre, et leur rend leur vertu :
Contre nous de pied ferme ils tirent les épées,
Des plus braves soldats les trames sont coupées,
Et la terre, et le fleuve, et leur flotte, et le port
1310 _ Sont des champs de carnage où triomphe la mort.
Ô combien d'actions, combien d'exploits célèbres
Furent ensevelis dans l'horreur des ténèbres,
Où chacun seul témoin des grands coups qu'il donnait,
Ne pouvait discerner où le sort inclinait !
1315 _ J'allais de tous côtés encourager les nôtres,
Faire avancer les uns, et soutenir les autres,
Ranger ceux qui venaient, les pousser à leur tour,
Et n'en pus rien savoir jusques au point du jour.
Mais enfin sa clarté montra notre avantage,
1320 _ Le More vit sa perte et perdit le courage,
Et voyant un renfort qui nous vint secourir

---

1. Met fin à.

Changea l'ardeur de vaincre à la peur de mourir.
Ils gagnent leurs vaisseaux, ils en coupent les chables[1],
Nous laissent pour Adieux des cris épouvantables,
Font retraite en tumulte, et sans considérer _ 1325
Si leurs Rois avec eux ont pu se retirer.
Ainsi leur devoir cède à la frayeur plus forte,
Le flux les apporta, le reflux les remporte,
Cependant que leurs Rois engagés parmi nous,
Et quelque peu des leurs tous percés de nos coups, _ 1330
Disputent vaillamment et vendent bien leur vie.
À se rendre moi-même en vain je les convie,
Le cimeterre au poing ils ne m'écoutent pas ;
Mais voyant à leurs pieds tomber tous leurs soldats,
Et que seuls désormais en vain ils se défendent, _ 1335
Ils demandent le Chef, je me nomme, ils se rendent,
Je vous les envoyai tous deux en même temps,
Et le combat cessa faute de combattants.
C'est de cette façon que pour votre service…

---

1. Câbles d'amarrage.

Scène 4

LE ROI, DON DIÈGUE, DON RODRIGUE, DON ARIAS, DON ALONSE, DON SANCHE

DON ALONSE

1340 _ Sire, Chimène vient vous demander Justice.

LE ROI

La fâcheuse nouvelle, et l'importun devoir !
Va, je ne la veux pas obliger à te voir,
Pour tous remerciements il faut que je te chasse :
Mais avant que sortir, viens que ton Roi t'embrasse.

Don Rodrigue rentre.

DON DIÈGUE

1345 _ Chimène le poursuit, et voudrait le sauver.

LE ROI

On m'a dit qu'elle l'aime, et je vais l'éprouver,
Contrefaites le triste[1].

---

1. Faites semblant d'être triste.

Scène 5

LE ROI, DON DIÈGUE, DON ARIAS, DON SANCHE, DON ALONSE, CHIMÈNE, ELVIRE

LE ROI

Enfin soyez contente,
Chimène, le succès répond à votre attente :
Si de nos ennemis Rodrigue a le dessus,
Il est mort à nos yeux des coups qu'il a reçus,   _ 1350
Rendez grâces au Ciel qui vous en a vengée.
Voyez comme déjà sa couleur est changée.

DON DIÈGUE

Mais voyez qu'elle pâme[1], et d'un amour parfait
Dans cette pâmoison, Sire, admirez l'effet,
Sa douleur a trahi les secrets de son âme   _ 1355
Et ne vous permet plus de douter de sa flamme.

CHIMÈNE

Quoi ? Rodrigue est donc mort ?

LE ROI

Non, non, il voit le jour,
Et te conserve encore un immuable amour,
Tu le posséderas, reprends ton allégresse.

---

1. Se pâmer, s'évanouir.

CHIMÈNE

1360 _ Sire, on pâme de joie ainsi que de tristesse,
Un excès de plaisir nous rend tous languissants,
Et quand il surprend l'âme, il accable les sens.

LE ROI

Tu veux qu'en ta faveur nous croyions l'impossible,
Ta tristesse, Chimène, a paru trop visible.

CHIMÈNE

1365 _ Eh bien, Sire, ajoutez ce comble à mes malheurs,
Nommez ma pâmoison[1] l'effet de mes douleurs,
Un juste déplaisir à ce point m'a réduite,
Son trépas dérobait sa tête à ma poursuite ;
S'il meurt des coups reçus pour le bien du pays,
1370 _ Ma vengeance est perdue et mes desseins[2] trahis.
Une si belle fin m'est trop injurieuse,
Je demande sa mort, mais non pas glorieuse,
Non pas dans un éclat qui l'élève si haut,
Non pas au lit d'honneur[3], mais sur un échafaud.
1375 _ Qu'il meure pour mon père, et non pour la patrie,

---

1. « Pâmer » et « pâmoison » sont de la même famille. Que fait Chimène quand elle apprend la fausse mort de Rodrigue ? Voilà, vous avez trouvé le sens !
2. À ne pas confondre avec dessins de la même famille que dessiner... Ici, il s'agit des objectifs qu'elle s'est fixés.
3. Le champ d'honneur, le champ de bataille où tombent les soldats.

Que son nom soit taché, sa mémoire flétrie ;
Mourir pour le pays n'est pas un triste sort,
C'est s'immortaliser par une belle mort.
J'aime donc sa victoire, et je le puis sans crime,
Elle assure l'État, et me rend ma victime,   _ 1380
Mais noble, mais fameuse entre tous les guerriers,
Le chef au lieu de fleurs couronné de lauriers,
Et pour dire en un mot ce que j'en considère,
Digne d'être immolée aux Mânes de mon père :
Hélas ! à quel espoir me laissé-je emporter !   _ 1385
Rodrigue de ma part n'a rien à redouter :
Que pourraient contre lui des larmes qu'on méprise ?
Pour lui tout votre Empire est un lieu de franchise[1],
Là sous votre pouvoir tout lui devient permis,
Il triomphe de moi, comme des ennemis,   _ 1390
Dans leur sang épandu la justice étouffée,
Aux crimes du vainqueur sert d'un nouveau trophée,
Nous en croissons la pompe et le mépris des lois
Nous fait suivre son char au milieu de deux Rois.

LE ROI

Ma fille, ces transports ont trop de violence.   _ 1395
Quand on rend la justice, on met tout en balance :
On a tué ton père, il était l'agresseur,

---

1. Asile, lieu sûr.

Et la même équité m'ordonne la douceur.

Avant que d'accuser ce que j'en fais paraître,

1400 _ Consulte bien ton cœur, Rodrigue en est le maître,

Et ta flamme en secret rend grâces à ton Roi

Dont la faveur conserve un tel amant pour toi.

CHIMÈNE

Pour moi mon ennemi ! l'objet de ma colère !

L'auteur de mes malheurs ! l'assassin de mon père !

1405 _ De ma juste poursuite on fait si peu de cas

Qu'on me croit obliger en ne m'écoutant pas !

Puisque vous refusez la justice à mes larmes,

Sire, permettez-moi de recourir aux armes,

C'est par là seulement qu'il a su m'outrager,

1410 _ Et c'est aussi par là que je me dois venger.

À tous vos Chevaliers je demande sa tête.

Oui, qu'un d'eux me l'apporte, et je suis sa conquête,

Qu'ils le combattent, Sire, et le combat fini,

J'épouse le vainqueur si Rodrigue est puni.

1415 _ Sous votre autorité souffrez qu'on le publie.

LE ROI

Cette vieille coutume[1] en ces lieux établie,

Sous couleur de punir un injuste attentat,

---

1. Le duel.

Des meilleurs combattants affaiblit un État.

Souvent de cet abus le succès déplorable

Opprime l'innocent et soutient le coupable. — 1420

J'en dispense Rodrigue, il m'est trop précieux

Pour l'exposer aux coups d'un sort capricieux,

Et quoi qu'ait pu commettre un cœur si magnanime

Les Mores en fuyant ont emporté son crime.

DON DIÈGUE

Quoi, Sire ! pour lui seul vous renversez des lois — 1425

Qu'a vu toute la Cour observer tant de fois !

Que croira votre peuple et que dira l'envie

Si sous votre défense il ménage sa vie,

Et s'en sert d'un prétexte à ne paraître pas

Où tous les gens d'honneur cherchent un beau trépas ? — 1430

Sire, ôtez ces faveurs qui terniraient sa gloire,

Qu'il goûte sans rougir les fruits de sa victoire,

Le Comte eut de l'audace, il l'en a su punir,

Il l'a fait en brave homme, et le doit soutenir.

LE ROI

Puisque vous le voulez j'accorde qu'il le fasse, — 1435

Mais d'un guerrier vaincu mille prendraient la place,

Et le prix que Chimène au vainqueur a promis

De tous mes Chevaliers ferait ses ennemis :

L'opposer seul à tous serait trop d'injustice,

1440 _ Il suffit qu'une fois il entre dans la lice :
Choisis qui tu voudras, Chimène, et choisis bien,
Mais après ce combat ne demande plus rien.

DON DIÈGUE

N'excusez point par là ceux que son bras étonne[1],
Laissez un camp ouvert où n'entrera personne.
1445 _ Après ce que Rodrigue a fait voir aujourd'hui,
Quel courage assez vain s'oserait prendre à lui ?
Qui se hasarderait contre un tel adversaire ?
Qui serait ce vaillant, ou bien ce téméraire ?

DON SANCHE

Faites ouvrir le camp, vous voyez l'assaillant,
1450 _ Je suis ce téméraire, ou plutôt ce vaillant.
Accordez cette grâce à l'ardeur qui me presse,
Madame, vous savez quelle est votre promesse.

LE ROI

Chimène, remets-tu ta querelle en sa main ?

CHIMÈNE

Sire, je l'ai promis.

---

1. Frappe de stupeur ; le sens est fort au XVIIe siècle : c'est le tonnerre qui frappe !

LE ROI

Soyez prêt à demain.

DON DIÈGUE

Non, Sire, il ne faut pas différer davantage,   _ 1455
On est toujours trop prêt quand on a du courage.

LE ROI

Sortir d'une bataille et combattre à l'instant !

DON DIÈGUE

Rodrigue a pris haleine en vous la racontant.

LE ROI

Du moins, une heure, ou deux, je veux qu'il se délasse.
Mais de peur qu'en exemple un tel combat ne passe,   _ 1460
Pour témoigner à tous qu'à regret je permets
Un sanglant procédé qui ne me plut jamais,
De moi, ni de ma Cour il n'aura la présence.

Il parle à Don Arias.

Vous seul des combattants jugerez la vaillance :
Ayez soin que tous deux fassent en gens de cœur,   _ 1465
Et le combat fini m'amenez le vainqueur.
Quel qu'il soit, même prix est acquis à sa peine,
Je le veux de ma main présenter à Chimène,
Et que pour récompense il reçoive sa foi.

CHIMÈNE

1470 _ Sire, c'est me donner une trop dure loi.

LE ROI

Tu t'en plains, mais ton feu loin d'avouer ta plainte,
Si Rodrigue est vainqueur, l'accepte sans contrainte.
Cesse de murmurer[1] contre un arrêt si doux :
Qui que ce soit des deux, j'en ferai ton époux.

---

1. Élever des objections.

ACTE V

Scène 1

DON RODRIGUE, CHIMÈNE

CHIMÈNE

Quoi, Rodrigue, en plein jour ! d'où te vient cette audace ? _ 1475
Va, tu me perds d'honneur, retire-toi, de grâce.

DON RODRIGUE

Je vais mourir, Madame, et vous viens en ce lieu,
Avant le coup mortel, dire un dernier Adieu,
Mon amour vous le doit, et mon cœur qui soupire
N'ose sans votre aveu sortir de votre Empire. _ 1480

CHIMÈNE

Tu vas mourir !

DON RODRIGUE

J'y cours, et le Comte est vengé,
Aussitôt que de vous j'en aurai le congé.

CHIMÈNE

Tu vas mourir ! Don Sanche est-il si redoutable,
Qu'il donne l'épouvante à ce cœur indomptable ?

1485 _ Qui t'a rendu si faible, ou qui le rend si fort ?
Rodrigue va combattre, et se croit déjà mort !
Celui qui n'a pas craint les Mores, ni mon père,
Va combattre Don Sanche et déjà désespère !
Ainsi donc au besoin ton courage s'abat[1] ?

DON RODRIGUE

1490 _ Je cours à mon supplice, et non pas au combat,
Et ma fidèle ardeur sait bien m'ôter l'envie,
Quand vous cherchez ma mort, de défendre ma vie.
J'ai toujours même cœur, mais je n'ai point de bras
Quand il faut conserver ce qui ne vous plaît pas,
1495 _ Et déjà cette nuit m'aurait été mortelle
Si j'eusse combattu pour ma seule querelle :
Mais défendant mon Roi, son peuple, et le pays,
À me défendre mal je les aurais trahis,
Mon esprit généreux ne hait pas tant la vie
1500 _ Qu'il en veuille sortir par une perfidie.
Maintenant qu'il s'agit de mon seul intérêt,
Vous demandez ma mort, j'en accepte l'arrêt ;
Votre ressentiment choisit la main d'un autre,
Je ne méritais pas de mourir de la vôtre ;
1505 _ On ne me verra point en repousser les coups,
Je dois plus de respect à qui combat pour vous,

---

1. Ainsi devant le danger tu perds courage.

Et ravi de penser que c'est de vous qu'ils viennent,
Puisque c'est votre honneur que ses armes soutiennent,
Je lui vais présenter mon estomac ouvert,
Adorant en sa main la vôtre qui me perd.   — 1510

CHIMÈNE

Si d'un triste devoir la juste violence,
Qui me fait malgré moi poursuivre ta vaillance,
Prescrit à ton amour une si forte loi
Qu'il te rend sans défense à qui combat pour moi,
En cet aveuglement ne perds pas la mémoire,   — 1515
Qu'ainsi que de ta vie, il y va de ta gloire,
Et que dans quelque éclat que Rodrigue ait vécu
Quand on le saura mort, on le croira vaincu.
L'honneur te fut plus cher que je ne te suis chère,
Puisqu'il trempa tes mains dans le sang de mon père,   — 1520
Et te fit renoncer malgré ta passion,
À l'espoir le plus doux de ma possession :
Je t'en vois cependant faire si peu de compte
Que sans rendre combat tu veux qu'on te surmonte.
Quelle inégalité¹ ravale ta vertu ?   — 1525
Pourquoi ne l'as-tu plus, ou pourquoi l'avais-tu ?
Quoi ? n'es-tu généreux que pour me faire outrage ?
S'il ne faut m'offenser n'as-tu point de courage ?

------

1. Inconstance, changement d'avis.

Et traites-tu mon père avec tant de rigueur
1530 _ Qu'après l'avoir vaincu tu souffres un vainqueur ?
Non, sans vouloir mourir, laisse-moi te poursuivre,
Et défends ton honneur si tu ne veux plus vivre.

DON RODRIGUE

Après la mort du Comte, et les Mores défaits,
Mon honneur appuyé sur de si grands effets
1535 _ Contre un autre ennemi n'a plus à se défendre :
On sait que mon courage ose tout entreprendre,
Que ma valeur peut tout, et que dessous les Cieux,
Quand mon honneur y va[1], rien ne m'est précieux.
Non, non, en ce combat, quoi que vous veuilliez croire,
1540 _ Rodrigue peut mourir sans hasarder sa gloire,
Sans qu'on l'ose accuser d'avoir manqué de cœur,
Sans passer pour vaincu, sans souffrir un vainqueur.
On dira seulement : « Il adorait Chimène,
Il n'a pas voulu vivre et mériter sa haine,
1545 _ Il a cédé lui-même à la rigueur du sort
Qui forçait sa maîtresse à poursuivre sa mort,
Elle voulait sa tête, et son cœur magnanime
S'il l'en eût refusée eût pensé faire un crime :
Pour venger son honneur il perdit son amour,
1550 _ Pour venger sa maîtresse il a quitté le jour,

---

1. Quand il y va de mon honneur.

Préférant (quelque espoir qu'eût son âme asservie)
Son honneur à Chimène, et Chimène à sa vie.»
Ainsi donc vous verrez ma mort en ce combat
Loin d'obscurcir ma gloire en rehausser l'éclat,
Et cet honneur suivra mon trépas volontaire,   _ 1555
Que tout autre que moi n'eût pu vous satisfaire.

CHIMÈNE

Puisque pour t'empêcher de courir au trépas
Ta vie et ton honneur sont de faibles appas,
Si jamais je t'aimai, cher Rodrigue, en revanche,
Défends-toi maintenant pour m'ôter à Don Sanche,   _ 1560
Combats pour m'affranchir d'une condition
Qui me livre à l'objet de mon aversion.
Te dirai-je encor plus? va, songe à ta défense,
Pour forcer mon devoir, pour m'imposer silence,
Et si jamais l'amour échauffa tes esprits,   _ 1565
Sors vainqueur d'un combat dont Chimène est le prix.
Adieu, ce mot lâché me fait rougir de honte.

DON RODRIGUE, *seul*.

Est-il quelque ennemi qu'à présent je ne dompte?
Paraissez, Navarrais, Mores, et Castillans,
Et tout ce que l'Espagne a nourri de vaillants,   _ 1570
Unissez-vous ensemble, et faites une armée
Pour combattre une main de la sorte animée,

Joignez tous vos efforts contre un espoir si doux,
Pour en venir à bout, c'est trop peu que de vous.

Scène 2

L'INFANTE

1575 _ T'écouterai-je encor, respect de ma naissance,
              Qui fais un crime de mes feux?
T'écouterai-je, Amour, dont la douce puissance
Contre ce fier tyran fait rebeller mes vœux?
              Pauvre Princesse, auquel des deux
1580 _   Dois-tu prêter obéissance?
Rodrigue, ta valeur te rend digne de moi,
Mais pour être vaillant tu n'es pas fils de Roi.

Impitoyable sort, dont la rigueur sépare
              Ma gloire d'avec mes désirs,
1585 _ Est-il dit que le choix d'une vertu si rare
Coûte à ma passion de si grands déplaisirs?
              Ô Cieux! à combien de soupirs
              Faut-il que mon cœur se prépare,
S'il ne peut obtenir dessus[1] mon sentiment
1590 _ Ni d'éteindre l'amour, ni d'accepter l'amant?
Mais ma honte m'abuse, et ma raison s'étonne

---

1. En triomphant de.

Du mépris d'un si digne choix :
Bien qu'aux Monarques seuls ma naissance me donne,
Rodrigue, avec honneur je vivrai sous tes lois.
     Après avoir vaincu deux Rois   _ 1595
     Pourrais-tu manquer de couronne ?
Et ce grand nom de Cid que tu viens de gagner
Marque-t-il pas déjà sur qui tu dois régner ?

Il est digne de moi, mais il est à Chimène,   _ 1600
     Le don que j'en ai fait me nuit,
Entre eux un père mort sème si peu de haine
Que le devoir du sang à regret le poursuit.
     Ainsi n'espérons aucun fruit
     De son crime, ni de ma peine,
Puisque pour me punir le destin a permis   _ 1605
Que l'amour dure même entre deux ennemis.

Scène 3
L'INFANTE, LÉONOR

L'INFANTE

Où viens-tu, Léonor ?

LÉONOR

     Vous témoigner, Madame,
L'aise que je ressens du repos de votre âme.

L'INFANTE

D'où viendrait ce repos dans un comble d'ennui?

LÉONOR

1610 _ Si l'amour vit d'espoir, et s'il meurt avec lui,
Rodrigue ne peut plus charmer votre courage,
Vous savez le combat où Chimène l'engage,
Puisqu'il faut qu'il y meure, ou qu'il soit son mari,
Votre espérance est morte, et votre esprit guéri.

L'INFANTE

1615 _ Ô, qu'il s'en faut encor!

LÉONOR

                   Que pouvez-vous prétendre?

L'INFANTE

Mais plutôt quel espoir me pourrais-tu défendre?
Si Rodrigue combat sous ces conditions,
Pour en rompre l'effet j'ai trop d'inventions,
L'amour, ce doux auteur de mes cruels supplices,
1620 _ Aux esprits des amants apprend trop d'artifices.

LÉONOR

Pourrez-vous quelque chose après qu'un père mort
N'a pu dans leurs esprits allumer de discord?

Car Chimène aisément montre par sa conduite
Que la haine aujourd'hui ne fait pas sa poursuite :
Elle obtient un combat, et pour son combattant, — 1625
C'est le premier offert qu'elle accepte à l'instant :
Elle ne choisit point de ces mains généreuses
Que tant d'exploits fameux rendent si glorieuses,
Don Sanche lui suffit, c'est la première fois
Que ce jeune Seigneur endosse le harnois. — 1630
Elle aime en ce duel son peu d'expérience,
Comme il est sans renom, elle est sans défiance,
Un tel choix, et si prompt, vous doit bien faire voir
Qu'elle cherche un combat qui force son devoir,
Et livrant à Rodrigue une victoire aisée, — 1635
Puisse l'autoriser à paraître apaisée.

L'INFANTE

Je le remarque assez, et toutefois mon cœur
À l'envi de Chimène adore ce vainqueur.
À quoi me résoudrai-je, amante infortunée ?

LÉONOR

À vous ressouvenir de qui vous êtes née, — 1640
Le Ciel vous doit un Roi, vous aimez un sujet.

L'INFANTE

Mon inclination a bien changé d'objet.

Je n'aime plus Rodrigue, un simple Gentilhomme,

Une ardeur bien plus digne à présent me consomme;

1645 _ Si j'aime, c'est l'auteur de tant de beaux exploits,

C'est le valeureux Cid, le maître de deux Rois,

Je me vaincrai pourtant, non de peur d'aucun blâme,

Mais pour ne troubler pas une si belle flamme,

Et quand pour m'obliger on l'aurait couronné,

1650 _ Je ne veux point reprendre un bien que j'ai donné.

Puisqu'en un tel combat sa victoire est certaine

Allons encore un coup le donner à Chimène,

Et toi qui vois les traits dont mon cœur est percé,

Viens me voir achever comme j'ai commencé.

Scène 4

CHIMÈNE, ELVIRE

CHIMÈNE

1655 _ Elvire, que je souffre, et que je suis à plaindre!

Je ne sais qu'espérer, et je vois tout à craindre,

Aucun vœu ne m'échappe où[1] j'ose consentir,

Et mes plus doux souhaits sont pleins d'un repentir.

À deux rivaux pour moi je fais prendre les armes,

---

1. Auquel.

Le plus heureux succès me coûtera des larmes,   _ 1660
Et quoi qu'en ma faveur en ordonne le sort,
Mon père est sans vengeance, ou mon amant est mort.

ELVIRE

D'un et d'autre côté je vous vois soulagée,
Ou vous avez Rodrigue, ou vous êtes vengée,
Et quoi que le destin puisse ordonner de vous,   _ 1665
Il soutient votre gloire et vous donne un époux.

CHIMÈNE

Quoi ? l'objet de ma haine, ou bien de ma colère !
L'assassin de Rodrigue, ou celui de mon père !
De tous les deux côtés on me donne un mari
Encor tout teint du sang que j'ai le plus chéri.   _ 1670
De tous les deux côtés mon âme se rebelle,
Je crains plus que la mort la fin de ma querelle ;
Allez, vengeance, amour, qui troublez mes esprits,
Vous n'avez point pour moi de douceurs à ce prix.
Et toi, puissant moteur du destin qui m'outrage[1],   _ 1675
Termine ce combat sans aucun avantage,
Sans faire aucun des deux, ni vaincu, ni vainqueur.

---

1. Dieu.

ELVIRE

Ce serait vous traiter avec trop de rigueur.

Ce combat pour votre âme est un nouveau supplice

1680 _ S'il vous laisse obligée à demander justice,

À témoigner toujours ce haut ressentiment,

Et poursuivre toujours la mort de votre amant.

Non, non, il vaut bien mieux que sa rare vaillance,

Lui gagnant un laurier vous impose silence,

1685 _ Que la loi du combat étouffe vos soupirs,

Et que le Roi vous force à suivre vos désirs.

CHIMÈNE

Quand il sera vainqueur, crois-tu que je me rende ?

Mon devoir est trop fort, et ma perte trop grande,

Et ce n'est pas assez pour leur faire la loi

1690 _ Que celle du combat et le vouloir du Roi.

Il peut vaincre Don Sanche avec fort peu de peine,

Mais non pas avec lui la gloire de Chimène,

Et quoi qu'à sa victoire un Monarque ait promis,

Mon honneur lui fera mille autres ennemis.

ELVIRE

1695 _ Gardez, pour vous punir de cet orgueil étrange,

Que le Ciel à la fin ne souffre qu'on vous venge.

Quoi ? vous voulez encor refuser le bonheur

De pouvoir maintenant vous taire avec honneur ?

Que prétend ce devoir? et qu'est-ce qu'il espère?
La mort de votre amant vous rendra-t-elle un père? _ 1700
Est-ce trop peu pour vous que d'un coup de malheur?
Faut-il perte sur perte, et douleur sur douleur?
Allez, dans le caprice où votre humeur s'obstine,
Vous ne méritez pas l'amant qu'on vous destine,
Et le Ciel, ennuyé de vous être si doux, _ 1705
Vous lairra¹ par sa mort Don Sanche pour époux.

CHIMÈNE

Elvire, c'est assez des peines que j'endure,
Ne les redouble point par ce funeste augure,
Je veux, si je le puis, les éviter tous deux,
Sinon, en ce combat Rodrigue a tous mes vœux : _ 1710
Non qu'une folle ardeur de son côté me penche,
Mais s'il était vaincu, je serais à Don Sanche,
Cette appréhension fait naître mon souhait.
Que vois-je, malheureuse? Elvire, c'en est fait.

Scène 5
DON SANCHE, CHIMÈNE, ELVIRE

DON SANCHE

Madame, à vos genoux j'apporte cette épée. _ 1715

---

1. Laissera (conjugaison archaïque).

CHIMÈNE

Quoi? du sang de Rodrigue encor toute trempée?
Perfide, oses-tu bien te montrer à mes yeux,
Après m'avoir ôté ce que j'aimais le mieux?
Éclate mon amour, tu n'as plus rien à craindre,
1720 — Mon père est satisfait[1], cesse de te contraindre,
Un même coup a mis ma gloire en sûreté,
Mon âme au désespoir, ma flamme en liberté.

DON SANCHE

D'un esprit plus rassis[2]…

CHIMÈNE

     Tu me parles encore,
Exécrable assassin d'un Héros que j'adore?
1725 — Va, tu l'as pris en traître, un guerrier si vaillant
N'eût jamais succombé sous un tel assaillant.

ELVIRE

Mais, Madame, écoutez.

---

1. Vengé.
2. Plus calme.

CHIMÈNE

Que veux-tu que j'écoute ?
Après ce que je vois puis-je être encor en doute ?
J'obtiens pour mon malheur ce que j'ai demandé,
Et ma juste poursuite a trop bien succédé[1].   — 1730
Pardonne, cher amant, à sa rigueur sanglante,
Songe que je suis fille aussi bien comme[2] amante,
Si j'ai vengé mon père aux dépens de ton sang,
Du mien pour te venger j'épuiserai mon flanc.
Mon âme désormais n'a rien qui la retienne,   — 1735
Elle ira recevoir ce pardon de la tienne.
Et toi qui me prétends acquérir par sa mort,
Ministre déloyal de mon rigoureux sort,
N'espère rien de moi, tu ne m'as point servie,
En croyant me venger tu m'as ôté la vie.   — 1740

DON SANCHE

Étrange impression qui, loin de m'écouter…

CHIMÈNE

Veux-tu que de sa mort je t'écoute vanter ?
Que j'entende à loisir avec quelle insolence
Tu peindras son malheur, mon crime, et ta vaillance,

---

1. Réussi.
2. Que.

1745 _ Qu'à tes yeux ce récit tranche mes tristes jours ?
    Va, va, je mourrai bien sans ce cruel secours,
    Abandonne mon âme au mal qui la possède,
    Pour venger mon amant je ne veux point qu'on m'aide.

Scène 6

LE ROI, DON DIÈGUE, DON ARIAS,
DON SANCHE, DON ALONSE,
CHIMÈNE, ELVIRE

CHIMÈNE

    Sire, il n'est plus besoin de vous dissimuler
1750 _ Ce que tous mes efforts ne vous ont pu celer.
    J'aimais, vous l'avez su, mais pour venger un père
    J'ai bien voulu proscrire¹ une tête si chère :
    Votre Majesté, Sire, elle-même a pu voir
    Comme j'ai fait céder mon amour au devoir.
1755 _ Enfin, Rodrigue est mort, et sa mort m'a changée
    D'implacable ennemie en amante affligée.
    J'ai dû cette vengeance à qui m'a mise au jour,
    Et je dois maintenant ces pleurs à mon amour.
    Don Sanche m'a perdue en prenant ma défense,
1760 _ Et du bras qui me perd je suis la récompense.
    Sire, si la pitié peut émouvoir un Roi,

---

1. Mettre à prix la tête de quelqu'un.

De grâce révoquez une si dure loi ;
Pour prix d'une victoire où je perds ce que j'aime,
Je lui laisse mon bien, qu'il me laisse à moi-même ;
Qu'en un Cloître sacré je pleure incessamment[1]   _ 1765
Jusqu'au dernier soupir mon père et mon amant.

DON DIÈGUE

Enfin, elle aime, Sire, et ne croit plus un crime
D'avouer par sa bouche une amour légitime.

LE ROI

Chimène, sors d'erreur, ton amant n'est pas mort,
Et Don Sanche vaincu t'a fait un faux rapport…   _ 1770

DON SANCHE

Sire, un peu trop d'ardeur malgré moi l'a déçue.
Je venais du combat lui raconter l'issue.
Ce généreux guerrier dont son cœur est charmé :
« Ne crains rien (m'a-t-il dit quand il m'a désarmé),
Je laisserais plutôt la victoire incertaine   _ 1775
Que de répandre un sang hasardé pour Chimène,
Mais puisque mon devoir m'appelle auprès du Roi,
Va de notre combat l'entretenir pour moi,
Offrir à ses genoux ta vie et ton épée. »

---

1. Sans cesse.

1780 _ Sire, j'y suis venu, cet objet l'a trompée,
Elle m'a cru vainqueur me voyant de retour,
Et soudain sa colère a trahi son amour,
Avec tant de transport, et tant d'impatience,
Que je n'ai pu gagner un moment d'audience.
1785 _ Pour moi, bien que vaincu, je me répute heureux,
Et malgré l'intérêt de mon cœur amoureux,
Perdant infiniment, j'aime encor ma défaite,
Qui fait le beau succès d'une amour si parfaite.

LE ROI

Ma fille, il ne faut point rougir d'un si beau feu,
1790 _ Ni chercher les moyens d'en faire un désaveu :
Une louable honte enfin t'en sollicite,
Ta gloire est dégagée, et ton devoir est quitte,
Ton père est satisfait, et c'était le venger
Que mettre tant de fois ton Rodrigue en danger.
1795 _ Tu vois comme le Ciel autrement en dispose ;
Ayant tant fait pour lui, fais pour toi quelque chose,
Et ne sois point rebelle à mon commandement
Qui te donne un époux aimé si chèrement.

Scène 7

LE ROI, DON DIÈGUE, DON ARIAS,
DON RODRIGUE, DON ALONSE, DON SANCHE,
L'INFANTE, CHIMÈNE, LÉONOR, ELVIRE

L'INFANTE

Sèche tes pleurs, Chimène, et reçois sans tristesse
Ce généreux vainqueur des mains de ta Princesse.   _ 1800

DON RODRIGUE

Ne vous offensez point, Sire, si devant vous
Un respect amoureux me jette à ses genoux.
Je ne viens point ici demander ma conquête;
Je viens tout de nouveau vous apporter ma tête;
Madame, mon amour n'emploiera point pour moi   _ 1805
Ni la loi du combat, ni le vouloir du Roi.
Si tout ce qui s'est fait est trop peu pour un père,
Dites par quels moyens il vous faut satisfaire.
Faut-il combattre encor mille et mille rivaux,
Aux deux bouts de la terre étendre mes travaux,   _ 1810
Forcer moi seul un camp, mettre en fuite une armée,
Des Héros fabuleux[1] passer la renommée?
Si mon crime par là se peut enfin laver,
J'ose tout entreprendre, et puis tout achever.

----

1. Légendaires.

1815 _ Mais si ce fier honneur toujours inexorable
Ne se peut apaiser sans la mort du coupable,
N'armez plus contre moi le pouvoir des humains,
Ma tête est à vos pieds, vengez-vous par vos mains ;
Vos mains seules ont droit de vaincre un invincible,
1820 _ Prenez une vengeance à tout autre impossible ;
Mais du moins que ma mort suffise à me punir,
Ne me bannissez point de votre souvenir,
Et puisque mon trépas conserve votre gloire,
Pour vous en revancher conservez ma mémoire,
1825 _ Et dites quelquefois, en songeant à mon sort,
« S'il ne m'avait aimée il ne serait pas mort ».

CHIMÈNE

Relève-toi, Rodrigue. Il faut l'avouer, Sire,
Mon amour a paru, je ne m'en puis dédire,
Rodrigue a des vertus que je ne puis haïr,
1830 _ Et vous êtes mon Roi, je vous dois obéir.
Mais à quoi que déjà vous m'ayez condamnée,
Sire, quelle apparence à ce triste Hyménée,
Qu'un même jour commence et finisse mon deuil,
Mette en mon lit Rodrigue, et mon père au cercueil ?
1835 _ C'est trop d'intelligence[1] avec son homicide,
Vers ses Mânes[2] sacrés c'est me rendre perfide,

---

1. Complicité.
2. Terme qui semble difficile mais qui, si vous observez bien la réplique de Chimène, peut s'éclairer. Elle

Et souiller mon honneur d'un reproche éternel,
D'avoir trempé mes mains dans le sang paternel.

LE ROI

Le temps assez souvent a rendu légitime
Ce qui semblait d'abord ne se pouvoir sans crime. — 1840
Rodrigue t'a gagnée, et tu dois être à lui,
Mais quoique sa valeur t'ait conquise aujourd'hui,
Il faudrait que je fusse ennemi de ta gloire
Pour lui donner sitôt le prix de sa victoire.
Cet Hymen différé ne rompt point une loi — 1845
Qui sans marquer de temps lui destine ta foi.
Prends un an si tu veux pour essuyer tes larmes.
Rodrigue cependant, il faut prendre les armes.
Après avoir vaincu les Mores sur nos bords,
Renversé leurs desseins, repoussé leurs efforts, — 1850
Va jusqu'en leur pays leur reporter la guerre,
Commander mon armée, et ravager leur terre.
À ce seul nom de Cid ils trembleront d'effroi,
Ils t'ont nommé Seigneur, et te voudront pour Roi,
Mais parmi tes hauts faits sois-lui toujours fidèle, — 1855
Reviens-en, s'il se peut, encor plus digne d'elle,
Et par tes grands exploits fais-toi si bien priser
Qu'il lui soit glorieux alors de t'épouser.

---

parle des « Mânes » de son père mort… On désigne ainsi l'âme d'une personne décédée.

DON RODRIGUE

Pour posséder Chimène, et pour votre service,
1860 _ Que peut-on m'ordonner que mon bras n'accomplisse?
Quoi qu'absent de ses yeux il me faille endurer,
Sire, ce m'est trop d'heur de pouvoir espérer.

LE ROI

Espère en ton courage, espère en ma promesse,
Et possédant déjà le cœur de ta maîtresse,
1865 _ Pour vaincre un point d'honneur qui combat contre toi
Laisse faire le temps, ta vaillance, et ton Roi.

Examen du Cid

(Texte liminaire des éditions de 1660-1682)

Ce poème a tant d'avantages du côté du sujet et des pensées brillantes dont il est semé que la plupart de ses auditeurs n'ont pas voulu voir les défauts de sa conduite[1] et ont laissé enlever leurs suffrages au plaisir que leur a donné sa représentation. Bien que ce soit celui de tous mes ouvrages réguliers où je me suis _ 5 permis le plus de licence, il passe encore pour le plus beau auprès de ceux qui ne s'attachent pas à la dernière sévérité des règles ; et depuis cinquante ans[2] qu'il tient sa place sur nos théâtres, l'histoire ni l'effort de l'imagination n'y ont rien fait voir qui en ait effacé l'éclat. Aussi a-t-il les deux grandes conditions que _ 10 demande Aristote aux tragédies parfaites, et dont l'assemblage se rencontre si rarement chez les anciens et chez les modernes ; il les assemble même plus fortement et plus noblement que les espèces[3] que pose ce philosophe. Une maîtresse que son devoir

---

1. *Conduite* : construction dramatique.
2. En 1660, Corneille écrit « vingt-trois ans », qu'il corrige en 1682 en « cinquante ans », arrondissant les quarante-cinq années écoulées depuis la première représentation.
3. *Espèces* : cas particuliers (terme de jurisprudence).

15 _ force à poursuivre la mort de son amant, qu'elle tremble d'obtenir, a les passions plus vives et plus allumées que tout ce qui peut se passer entre un mari et sa femme, une mère et son fils, un frère et sa sœur ; et la haute vertu dans un naturel sensible à ces passions, qu'elle dompte sans les affaiblir, et à qui elle laisse toute
20 _ leur force pour en triompher plus glorieusement, a quelque chose de plus touchant, de plus élevé et de plus aimable que cette médiocre bonté, capable d'une faiblesse et même d'un crime, où nos anciens étaient contraints d'arrêter le caractère le plus parfait des rois et des princes dont ils faisaient leurs héros, afin que ces
25 _ taches et ces forfaits, défigurant ce qu'ils leur laissaient de vertu, s'accommodassent au goût et aux souhaits de leurs spectateurs, et fortifiassent l'horreur qu'ils avaient conçue de leur domination et de la monarchie.

Rodrigue suit ici son devoir sans rien relâcher de sa passion,
30 _ Chimène fait la même chose, à son tour, sans laisser ébranler son dessein par la douleur où elle se voit abîmée par là ; et si la présence de son amant lui fait faire quelque faux pas, c'est une glissade dont elle se relève à l'heure même ; et non seulement elle connaît si bien sa faute qu'elle nous en avertit, mais elle
35 _ fait un prompt désaveu de tout ce qu'une vue si chère lui a pu arracher. Il n'est point besoin qu'on lui reproche qu'il lui est honteux de souffrir l'entretien de son amant après qu'il a tué son père ; elle avoue que c'est la seule prise que la médisance aura sur elle. Si elle s'emporte jusqu'à lui dire qu'elle veut bien qu'on
40 _ sache qu'elle l'adore et le poursuit, ce n'est point une résolution

si ferme, qu'elle l'empêche de cacher son amour de tout son possible lorsqu'elle est en la présence du Roi. S'il lui échappe de l'encourager au combat contre Don Sanche par ces paroles :

Sors vainqueur d'un combat dont Chimène est le prix,

elle ne se contente pas de s'enfuir de honte au même moment ; _ 45 mais sitôt qu'elle est avec Elvire, à qui elle ne déguise rien de ce qui se passe dans son âme, et que la vue de ce cher objet ne lui fait plus de violence, elle forme un souhait plus raisonnable, qui satisfait sa vertu et son amour tout ensemble, et demande au Ciel que le combat se termine _ 50

Sans faire aucun des deux ni vaincu ni vainqueur.

Si elle ne dissimule point qu'elle penche du côté de Rodrigue, de peur d'être à Don Sanche, pour qui elle a de l'aversion, cela ne détruit point la protestation, qu'elle a faite un peu aupara-vant, que malgré la loi de ce combat, et les promesses que le _ 55 Roi a faites à Rodrigue, elle lui fera mille autres ennemis, s'il en sort victorieux. Ce grand éclat même qu'elle laisse faire à son amour après qu'elle le croit mort, est suivi d'une opposition vigoureuse à l'exécution de cette loi qui la donne à son amant, et elle ne se tait qu'après que le Roi l'a différée, et lui a laissé lieu _ 60 d'espérer qu'avec le temps il y pourra survenir quelque obstacle. Je sais bien que le silence passe d'ordinaire pour une marque

de consentement; mais quand les rois parlent, c'en est une de contradiction : on ne manque jamais à leur applaudir quand on
65 _ entre dans leurs sentiments; et le seul moyen de leur contredire avec le respect qui leur est dû, c'est de se taire, quand leurs ordres ne sont pas si pressants qu'on ne puisse remettre à s'excuser de leur obéir lorsque le temps en sera venu, et conserver cependant une espérance légitime d'un empêchement, qu'on ne peut
70 _ encore déterminément prévoir.

Il est vrai que dans ce sujet il faut se contenter de tirer Rodrigue de péril, sans le pousser jusqu'à son mariage avec Chimène. Il est historique et a plu en son temps; mais bien sûrement il déplairait au nôtre; et j'ai peine à voir que Chimène y consente chez
75 _ l'auteur espagnol, bien qu'il donne plus de trois ans de durée à la comédie qu'il en a faite. Pour ne pas contredire l'histoire, j'ai cru ne me pouvoir dispenser d'en jeter quelque idée, mais avec incertitude de l'effet[1], et ce n'était que par là que je pouvais accorder la bienséance du théâtre avec la vérité de l'événement.

80 _ Les deux visites que Rodrigue fait à sa maîtresse ont quelque chose qui choque cette bienséance de la part de celle qui les souffre; la rigueur du devoir voulait qu'elle refusât de lui parler et s'enfermât dans son cabinet, au lieu de l'écouter; mais permettez-moi de dire avec un des premiers esprits de notre siècle[2],
85 _ «que leur conversation est remplie de si beaux sentiments,

---

1. L'argument vaut pour *Le Cid* remanié de 1660-1682, mais pas pour la version première de 1637, où Chimène acceptait le mariage, en demandant simplement un certain délai.
2. Corneille désigne l'abbé d'Aubignac, dans sa *Pratique du théâtre*, 1657.

que plusieurs n'ont pas connu ce défaut, et que ceux qui l'ont connu l'ont toléré». J'irai plus outre, et dirai que tous presque ont souhaité que ces entretiens se fissent; et j'ai remarqué aux premières représentations qu'alors que ce malheureux amant se présentait devant elle, il s'élevait un certain frémissement dans _ 90 l'assemblée, qui marquait une curiosité merveilleuse et un redoublement d'attention pour ce qu'ils avaient à se dire dans un état si pitoyable. Aristote dit qu'«il y a des absurdités qu'il faut laisser dans un poème, quand on peut espérer qu'elles seront bien reçues; et il est du devoir du poète, en ce cas, de les couvrir de _ 95 tant de brillants qu'elles puissent éblouir[1]». Je laisse au jugement de mes auditeurs si je me suis assez bien acquitté de ce devoir pour justifier par là ces deux scènes. Les pensées de la première des deux sont quelquefois trop spirituelles pour partir de personnes fort affligées; mais outre que je n'ai fait que la paraphraser _ 100 de l'espagnol, si nous ne nous permettions quelque chose de plus ingénieux que le cours ordinaire de la passion, nos poèmes ramperaient souvent, et les grandes douleurs ne mettraient dans la bouche de nos acteurs que des exclamations et des hélas. Pour ne déguiser rien, cette offre que fait Rodrigue de son épée à _ 105 Chimène, et cette protestation de se laisser tuer par Don Sanche, ne me plairaient pas maintenant. Ces beautés étaient de mise en ce temps-là et ne le seraient plus en celui-ci. La première est dans l'original espagnol, et l'autre est tirée sur ce modèle. Toutes les

---

1. Il s'agit d'une citation d'Aristote, tirée de *La Poétique*.

110 _ deux ont fait leur effet en ma faveur ; mais je ferais scrupule d'en étaler de pareilles à l'avenir sur notre théâtre.

J'ai dit ailleurs[1] ma pensée touchant l'Infante et le Roi ; il reste néanmoins quelque chose à examiner sur la manière dont ce dernier agit, qui ne paraît pas assez vigoureuse, en ce qu'il ne fait pas
115 _ arrêter le Comte après le soufflet donné, et n'envoie pas des gardes à Don Diègue et à son fils[2]. Sur quoi on peut considérer que Don Fernand étant le premier roi de Castille, et ceux qui en avaient été maîtres auparavant lui n'ayant eu titre que de comtes, il n'était peut-être pas assez absolu sur les grands seigneurs de son royaume
120 _ pour le pouvoir faire. Chez Don Guillén de Castro, qui a traité ce sujet avant moi, et qui devait mieux connaître que moi quelle était l'autorité de ce premier monarque de son pays, le soufflet se donne en sa présence et en celle de deux ministres d'État, qui lui conseillent, après que le Comte s'est retiré fièrement et avec
125 _ bravade, et que Don Diègue a fait la même chose en soupirant, de ne le pousser point à bout, parce qu'il a quantité d'amis dans les Asturies, qui se pourraient révolter et prendre parti avec les Mores dont son État est environné. Ainsi il se résout d'accommoder l'affaire sans bruit et recommande le secret à ces deux ministres, qui
130 _ ont été seuls témoins de l'action. C'est sur cet exemple que je me suis cru bien fondé à le faire agir plus mollement qu'on ne ferait en ce temps-ci, où l'autorité royale est plus absolue. Je ne pense

---

1. Pour l'Infante dans le *Discours du poème dramatique*, pour le Roi dans l'*Examen de Clitandre*, et pour les deux dans l'*Examen d'Horace*.
2. Reproche soulevé par Scudéry et par l'Académie.

pas non plus qu'il fasse une faute bien grande de ne jeter point l'alarme de nuit dans sa ville, sur l'avis incertain qu'il a du dessein des Mores, puisqu'on faisait bonne garde sur les murs et sur _ 135 le port ; mais il est inexcusable de n'y donner aucun ordre après leur arrivée et de laisser tout faire à Rodrigue. La loi du combat qu'il propose à Chimène, avant que de le permettre à Don Sanche contre Rodrigue, n'est pas si injuste que quelques-uns ont voulu le dire[1], parce qu'elle est plutôt une menace pour la faire dédire de la _ 140 demande de ce combat qu'un arrêt qu'il lui veuille faire exécuter. Cela paraît en ce qu'après la victoire de Rodrigue il n'en exige pas précisément l'effet de sa parole et la laisse en état d'espérer que cette condition n'aura point de lieu.

Je ne puis dénier que la règle des vingt et quatre heures presse _ 145 trop les incidents de cette pièce. La mort du Comte et l'arrivée des Mores s'y pouvaient entresuivre d'aussi près qu'elles font, parce que cette arrivée est une surprise qui n'a point de communication, ni de mesures à prendre avec le reste ; mais il n'en va pas ainsi du combat de Don Sanche, dont le Roi était le maître, _ 150 et pouvait lui choisir un autre temps que deux heures après la fuite des Mores. Leur défaite avait assez fatigué Rodrigue toute la nuit pour mériter deux ou trois jours de repos, et même il y avait quelque apparence qu'il n'en était pas échappé sans blessures, quoique je n'en aie rien dit, parce qu'elles n'auraient fait _ 155 que nuire à la conclusion de l'action.

---

1. Scudéry en particulier.

Cette même règle presse aussi trop Chimène de demander justice au Roi la seconde fois. Elle l'avait fait le soir d'auparavant, et n'avait aucun sujet d'y retourner le lendemain matin pour 160 _ en importuner le Roi, dont elle n'avait encore aucun lieu de se plaindre, puisqu'elle ne pouvait encore dire qu'il lui eût manqué de promesse. Le roman lui aurait donné sept ou huit jours de patience avant que de l'en presser de nouveau; mais les vingt et quatre heures ne l'ont pas permis : c'est l'incommodité de 165 _ la règle. Passons à celle de l'unité de lieu, qui ne m'a pas donné moins de gêne en cette pièce. Je l'ai placée dans Séville, bien que Don Fernand n'en ait jamais été le maître; et j'ai été obligé à cette falsification pour former quelque vraisemblance à la descente des Mores, dont l'armée ne pouvait venir si vite par terre 170 _ que par eau. Je ne voudrais pas assurer toutefois que le flux de la mer monte effectivement jusque-là; mais, comme dans notre Seine il fait encore plus de chemin qu'il ne lui en faut faire sur le Guadalquivir pour battre les murailles de cette ville, cela peut suffire à fonder quelque probabilité parmi nous, pour ceux qui 175 _ n'ont point été sur le lieu même.

Cette arrivée des Mores ne laisse pas d'avoir ce défaut, que j'ai marqué ailleurs[1], qu'ils se présentent d'eux-mêmes sans être appelés dans la pièce, directement ni indirectement, par aucun acteur du premier acte. Ils ont plus de justesse dans l'irrégularité de 180 _ l'auteur espagnol : Rodrigue, n'osant plus se montrer à la Cour,

---

1. Dans le *Discours du poème dramatique*.

les va combattre sur la frontière ; et ainsi le premier acteur les va chercher et leur donne place dans le poème, au contraire de ce qui arrive ici, où ils semblent se venir faire de fête exprès pour en être battus, et lui donner moyen de rendre à son roi un service d'importance, qui lui fasse obtenir sa grâce. C'est une seconde _ 185 incommodité de la règle dans cette tragédie.

Tout s'y passe donc dans Séville, et garde ainsi quelque espèce d'unité de lieu en général ; mais le lieu particulier change de scène en scène, et tantôt c'est le palais du Roi, tantôt l'appartement de l'Infante, tantôt la maison de Chimène, et tantôt une _ 190 rue ou place publique. On le détermine aisément pour les scènes détachées, mais pour celles qui ont leur liaison ensemble, comme les quatre dernières du premier acte, il est malaisé d'en choisir un qui convienne à toutes. Le Comte et Don Diègue se querellent au sortir du palais, cela se peut passer dans une rue ; mais, après _ 195 le soufflet reçu, Don Diègue ne peut pas demeurer en cette rue à faire ses plaintes, attendant que son fils survienne, qu'il ne soit tout aussitôt environné de peuple, et ne reçoive l'offre de quelques amis. Ainsi il serait plus à propos qu'il se plaignît dans sa maison, où le met l'Espagnol, pour laisser aller ses sentiments _ 200 en liberté ; mais en ce cas il faudrait délier les scènes comme il a fait. En l'état où elles sont ici, on peut dire qu'il faut quelquefois aider au théâtre et suppléer favorablement ce qui ne s'y peut représenter. Deux personnes s'y arrêtent pour parler, et quelquefois il faut présumer qu'ils marchent, ce qu'on ne peut exposer _ 205 sensiblement à la vue, parce qu'ils échapperaient aux yeux avant

que d'avoir pu dire ce qu'il est nécessaire qu'ils fassent savoir à l'auditeur. Ainsi, par une fiction de théâtre, on peut s'imaginer que Don Diègue et le Comte, sortant du palais du Roi, avancent
210 _ toujours en se querellant, et sont arrivés devant la maison de ce premier lorsqu'il reçoit le soufflet qui l'oblige à y entrer pour y chercher du secours. Si cette fiction poétique ne vous satisfait point, laissons-le dans la place publique, et disons que le concours du peuple autour de lui après cette offense, et les offres
215 _ de service que lui font les premiers amis qui s'y rencontrent, sont des circonstances que le roman ne doit pas oublier ; mais que ces menues actions ne servant de rien à la principale, il n'est pas besoin que le poète s'en embarrasse sur la scène. Horace l'en dispense par ces vers :

220 _ *Hoc amet, hoc spernat promissi carminis auctor,*
  Pleraque negligat[1].

Et ailleurs :

Semper ad eventum festinet[2].

C'est ce qui m'a fait négliger, au troisième acte, de donner à
225 _ Don Diègue, pour aide à chercher son fils, aucun des cinq cents amis qu'il avait chez lui. Il y a grande apparence que quelques-uns

---

1. «Que l'auteur d'un poème promis aime ceci, dédaigne cela, et néglige maints détails» (*Art poétique*). Libre citation : Corneille intervertit les deux vers, et remplace «differat» par «negligat».
2. «Qu'il se hâte toujours vers ce dénouement» (*Art poétique*).

d'eux l'y accompagnaient, et même que quelques autres le cher-
chaient pour lui d'un autre côté ; mais ces accompagnements
inutiles de personnes qui n'ont rien à dire, puisque celui qu'ils
accompagnent a seul tout l'intérêt à l'action, ces sortes d'accom- _ 230
pagnements, dis-je, ont toujours mauvaise grâce au théâtre, et
d'autant plus que les comédiens n'emploient à ces personnages
muets que leurs moucheurs de chandelles et leurs valets, qui ne
savent quelle posture tenir.

Les funérailles du Comte étaient encore une chose fort embar- _ 235
rassante, soit qu'elles se soient faites avant la fin de la pièce, soit
que le corps ait demeuré en présence dans son hôtel, attendant
qu'on y donnât ordre. Le moindre mot que j'en eusse laissé dire,
pour en prendre soin, eût rompu toute la chaleur de l'attention,
et rempli l'auditeur d'une fâcheuse idée. J'ai cru plus à propos de _ 240
les dérober à son imagination par mon silence, aussi bien que le
lieu précis de ces quatre scènes du premier acte dont je viens de
parler ; et je m'assure que cet artifice m'a si bien réussi, que peu
de personnes ont pris garde à l'un ni à l'autre, et que la plupart
des spectateurs, laissant emporter leurs esprits à ce qu'ils ont vu _ 245
et entendu de pathétique en ce poème, ne se sont point avisés
de réfléchir sur ces deux considérations.

J'achève par une remarque sur ce que dit Horace que ce qu'on
expose à la vue touche bien plus que ce qu'on n'apprend que
par un récit[1].

_ 250

---

1. *Art poétique.*

C'est sur quoi je me suis fondé pour faire voir le soufflet que reçoit Don Diègue, et cacher aux yeux la mort du Comte, afin d'acquérir et conserver à mon premier acteur l'amitié des auditeurs, si nécessaire pour réussir au théâtre. L'indignité d'un affront fait à un vieillard, chargé d'années et de victoires, les jette aisément dans le parti de l'offensé et cette mort, qu'on vient dire au Roi tout simplement sans aucune narration touchante, n'excite point en eux la commisération qu'y eût fait naître le spectacle de son sang, et ne leur donne aucune aversion pour ce malheureux amant, qu'ils ont vu forcé par ce qu'il devait à son honneur d'en venir à cette extrémité, malgré l'intérêt et la tendresse de son amour.

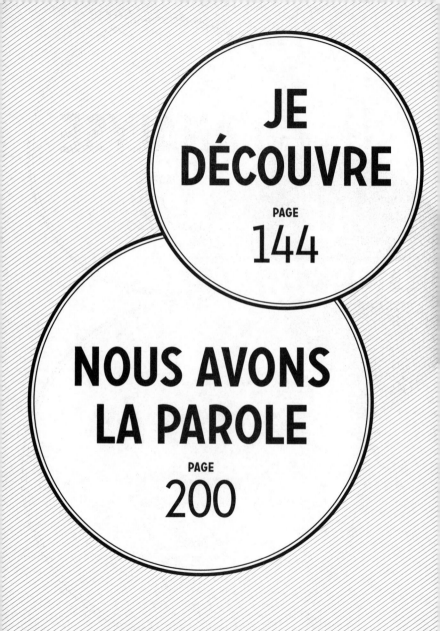

J'ANALYSE

PAGE 172

LE DOSSIER

PROLONGE-MENTS

PAGE 210

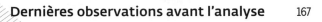

Les personnages du *Cid*

LES PÈRES

 Don Fernand

 Don Diègue

 Don Gomès

LES ENFANTS

 Doña Urraque

 Don Rodrigue

 Chimène

LES SUIVANTS

 Léonor

 Elvire

 Don Sanche

LES SERVITEURS DU POUVOIR, GENTILSHOMMES

 Don Alonse

Don Arias

Répartition de la parole entre les personnages

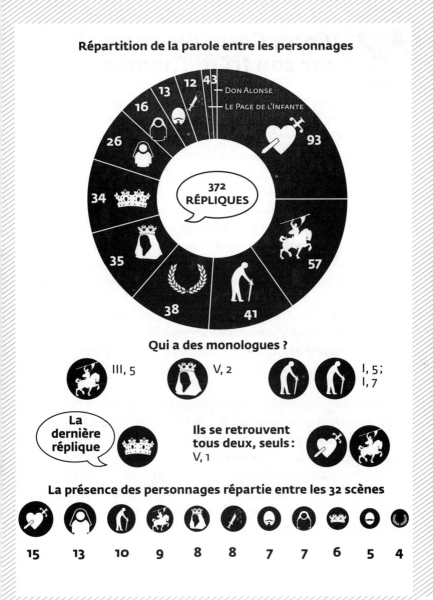

372 RÉPLIQUES

— Don Alonse
— Le Page de l'Infante

43
12
13
16
26
34
35
38
41
57
93

Qui a des monologues ?

III, 5   V, 2   I, 5 ; I, 7

La dernière réplique

Ils se retrouvent tous deux, seuls : V, 1

La présence des personnages répartie entre les 32 scènes

15   13   10   9   8   8   7   7   6   5   4

Pierre Corneille raconté par son frère Thomas

Lorsque je vis le jour en 1625 à Rouen, mon frère, Pierre, avait déjà dix-neuf ans. Il était né le 6 juin 1606. Comme la coutume le voulait, premier né de la lignée, il reçut le prénom de notre père. Entré au collège des Jésuites à neuf ans, il avait acquis une solide culture : latin, religion, histoire, rhétorique, philosophie… et même l'espagnol car une importante communauté ibérique vivait à Rouen.

Mais **ce qui le passionnait par-dessus tout, c'était l'art dramatique**, dispensé par les Jésuites pour faire comprendre les conflits moraux à leurs élèves. Les farces étaient jouées sur des tréteaux et présentaient un comique gras et violent, les comédies étaient représentées dans des salles de jeu de paume, l'après-midi, avant les vêpres, de manière à ne pas troubler les offices religieux.

Mon frère assistait à ce théâtre cruel et sanglant, qu'il appelait « le théâtre échafaud ». La tragédie, qui prenait alors son essor avec Alexandre Hardy, l'excellent dramaturge de la troupe de l'Hôtel de Bourgogne, l'une des plus prestigieuses de Paris, représentait la mort en scène, avec une potence comme décor !

À ma naissance, il n'avait fait qu'une seule plaidoirie avec sa licence de droit mais fréquentait assidûment les salons littéraires. Mon père acheta à Pierre une charge au palais de justice de Rouen. **Il acquit ainsi le titre d'avocat du roi** et défendit dès lors les intérêts de la Couronne durant vingt-deux ans…

Son désir de devenir dramaturge mûrissait, conforté par le célèbre Mondory et son comparse Le Noir. Ces comédiens itinérants du Théâtre du Marais voulaient rivaliser à la capitale avec la troupe de l'Hôtel de Bourgogne… Durant l'hiver 1629-1630, la comédie *Mélite ou les fausses lettres* valut un triomphe à la troupe de Mondory et à Pierre. En 1635, Richelieu, ministre de Louis XIII, le fit entrer dans la Société des Cinq Auteurs qui rédigeaient sur commande des comédies et étaient pensionnés pour cela.

En 1637, *Le Cid* lui apporta la gloire. Le public acclamait son génie et les spectateurs s'arrachaient les billets si bien que Mondory vendait aux plus fortunés des places sur la scène ! **Mais la pièce ne fut pas du goût de l'Académie française. Selon certains, elle était invraisemblable**, les règles n'étaient pas respectées, elle n'était qu'une tragi-comédie de bas étage, mal écrite, avec un vocabulaire familier ! S'ensuivit une cabale contre Pierre : la *Querelle du Cid*.

Notre père nous quitta en 1639, faisant de Pierre le chef de famille : il dut s'occuper de nous, ses cinq frères et sœurs. J'envisageais une carrière juridique à laquelle j'accédai grâce au soutien de Pierre.

Dès 1640, Pierre enchaîna les succès avec des tragédies politiques et mythologiques, ou des comédies. Il connut enfin la reconnaissance de ses pairs qui l'élurent à l'Académie française en 1647.

À la mort de Richelieu, il fut protégé et pensionné par Mazarin. Durant la Fronde, après le décès de Louis XIII, il se rangea aux côtés de la régente, Anne d'Autriche, mère de Louis XIV. Tout lui souriait. Il m'encouragea à me lancer dans l'écriture dramatique.

La chute de Mazarin fit perdre à Pierre ses revenus et il redevint simple avocat. Il se consacra alors à un travail de traduction et de commentaires sur des œuvres religieuses. Durant cette période, mon succès éclata avec ma tragédie *Timocrate*.

Il reprit l'écriture, en profita pour revoir ses pièces et les faire précéder d'un Examen. Bref, **nous triomphions tous les deux, jusqu'à l'arrivée de Jean Racine qui devint l'ennemi de mon frère**. Leurs œuvres étaient en perpétuelle compétition… et Racine avait bien souvent plus de succès. Cela dura jusqu'au dernier souffle de Pierre, le 2 octobre 1684. Jean Racine lui rendit hommage et m'octroya le fauteuil de Pierre à l'Académie française.

Le vrai/faux

- *Pierre est né après Thomas.*
- *Le Cid est une tragédie régulière qui a plu d'emblée aux académiciens.*
- *Thomas a lui aussi écrit des pièces.*

Retour dans le passé : le spectateur contemporain du *Cid*

Depuis le début du mois de janvier 1637, nous n'entendons parler que du *Cid* de Pierre Corneille, une œuvre, paraît-il, magnifique, illustre, exceptionnelle ! Je me suis donc rendu au Théâtre du Marais, moi, Georges Scudéry, un vendredi, jour de représentation ordinaire. La salle était comble et j'avais payé ma place sur la scène, très onéreuse, de manière à être au plus près du chef-d'œuvre…

Quelle ne fut pas ma surprise ! *Le Cid* s'ouvre sur une scène d'exposition farfelue et loin des conventions théâtrales : le père de Chimène, un comte, s'entretient avec la suivante de sa fille ! La scène suivante ne fait que reprendre la première mais en changeant les personnages : Elvire et Chimène ! Mais quel intérêt pour le spectateur ? Il connaît déjà les informations…

Comme l'écrit Aristote dans sa *Poétique*, le premier acte doit mettre en place l'intrigue qui va se tisser peu à peu. Or, ce qui peut avoir un intérêt dramatique majeur, c'est la mort du père de Chimène, tué par l'homme qu'elle aime… Mais cela devrait intervenir à la fin de la pièce, pas au début !

Les actes se succédant, **j'étais de plus en plus outré par cet irrespect des règles et convenances !** À l'acte III, Rodrigue paraît dans la maison du mort, l'épée à la main, encore ensanglantée du sang de sa victime ! Il vient braver la dépouille du mort dans sa propre maison et Chimène le reçoit : mais comment est-ce possible ? Chimène est un personnage hors des bienséances : quel genre de fille aurait pu accepter d'aimer le meurtrier de son père, en réclamer vengeance tout en espérant que Don Sanche, qui devait lui échoir comme époux au sortir du duel, soit tué !

Quant au Roi, il n'a pas réellement de pouvoir et passe pour un « bouffon » lors de la scène où il piège Chimène pour la mettre à l'épreuve et savoir si elle aime vraiment Rodrigue.

Plus la pièce avançait, plus j'étais furieux, et plus la foule, surtout les spectateurs du parterre, applaudissait à tout rompre. Comment admettre pourtant qu'en une seule journée se succèdent la mort d'un père, la promesse de mariage, divers combats, l'élection d'un gouverneur du prince, un mariage ? Et un mariage au prix d'un parricide, qui plus est ! Mais Aristote ne réclamait-il pas que les bonnes mœurs soient mises à l'honneur dans les œuvres théâtrales ? À cela s'ajoutent des invraisemblances : Chimène pleurant la mort de son père entourée de la Cour aux pieds du Roi alors que les convenances auraient voulu qu'elle se retire en ses appartements, par exemple. Je mis mon feutre et quittai ma place, décontenancé.

De retour chez moi, je me fis la remarque que l'unité de lieu était, elle aussi, bannie de la pièce. Le lieu principal, l'avant-scène, voyait jouer les comédiens, et, en arrière-fond, des compartiments se drapaient ou se mettaient au jour en fonction du lieu que l'on voulait représenter : l'appartement du Roi, la rue, la maison de Chimène, l'appartement de l'Infante.

Aussi, j'ai pris mon édition du *Cid* nouvellement publiée et j'ai commencé à rédiger des *Observations* que je publierai en avril 1637, si tout va bien…

Ainsi débute ma critique : « **Il est de certaines Pièces, comme de certains animaux qui sont en la Nature, qui de loin semblent des Étoiles, et qui de près ne sont que des vermisseaux**. Tout ce qui brille n'est pas toujours précieux […]. Mais que cette vapeur grossière, qui se forme dans le Parterre, ait pu s'élever jusqu'aux Galeries et qu'un fantasme ait abusé le savoir comme l'ignorance, et la Cour aussi bien que le Bourgeois, j'avoue que ce prodige m'étonne, et que ce n'est qu'en ce bizarre événement, que je trouve *LE CID* merveilleux. »

Le vrai/faux

- Le Cid *reçoit un succès mitigé à sa création.*
- *Scudéry est un admirateur de Corneille.*
- *L'œuvre qu'a écrite Aristote s'appelle la* **Poétique**.

Ce qu'il s'est passé au moment de la création du *Cid*

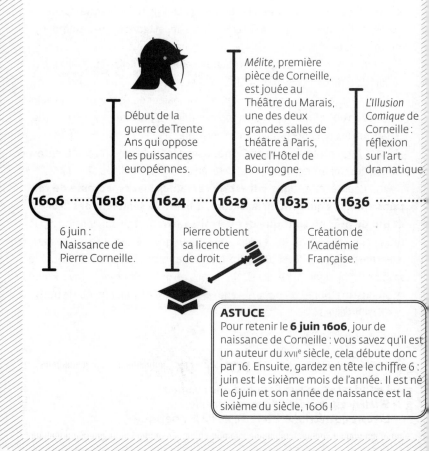

Début de la guerre de Trente Ans qui oppose les puissances européennes.

Mélite, première pièce de Corneille, est jouée au Théâtre du Marais, une des deux grandes salles de théâtre à Paris, avec l'Hôtel de Bourgogne.

L'Illusion Comique de Corneille : réflexion sur l'art dramatique.

1606 ····· **1618** ····· **1624** ····· **1629** ····· **1635** ····· **1636** ·····

6 juin : Naissance de Pierre Corneille.

Pierre obtient sa licence de droit.

Création de l'Académie Française.

ASTUCE
Pour retenir le **6 juin 1606**, jour de naissance de Corneille : vous savez qu'il est un auteur du xviiᵉ siècle, cela débute donc par 16. Ensuite, gardez en tête le chiffre 6 : juin est le sixième mois de l'année. Il est né le 6 juin et son année de naissance est la sixième du siècle, 1606 !

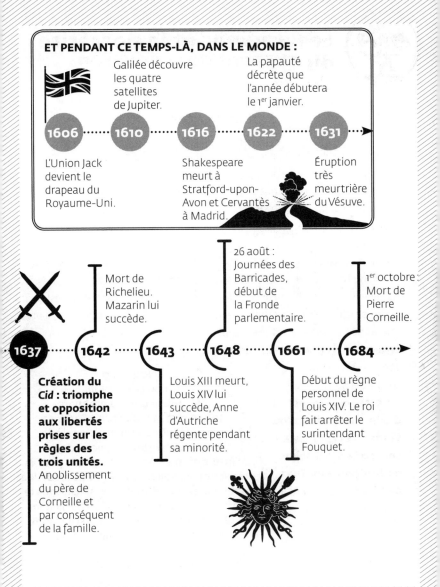

ET PENDANT CE TEMPS-LÀ, DANS LE MONDE :

Galilée découvre les quatre satellites de Jupiter.

La papauté décrète que l'année débutera le 1er janvier.

1606 ⋯⋯ **1610** ⋯⋯ **1616** ⋯⋯ **1622** ⋯⋯ **1631** ⋯⋯▶

L'Union Jack devient le drapeau du Royaume-Uni.

Shakespeare meurt à Stratford-upon-Avon et Cervantès à Madrid.

Éruption très meurtrière du Vésuve.

Mort de Richelieu. Mazarin lui succède.

26 août : Journées des Barricades, début de la Fronde parlementaire.

1er octobre : Mort de Pierre Corneille.

1637 ⋯⋯ **1642** ⋯⋯ **1643** ⋯⋯ **1648** ⋯⋯ **1661** ⋯⋯ **1684** ⋯⋯▶

Création du *Cid* : triomphe et opposition aux libertés prises sur les règles des trois unités. Anoblissement du père de Corneille et par conséquent de la famille.

Louis XIII meurt, Louis XIV lui succède, Anne d'Autriche régente pendant sa minorité.

Début du règne personnel de Louis XIV. Le roi fait arrêter le surintendant Fouquet.

Les origines et la postérité du *Cid*

Les sources

Lorsque Corneille débute et cherche à se faire une place dans le monde de l'art dramatique, le contexte politique en France est assez mouvementé... Depuis 1635, l'Espagne livre une guerre à la France pour tenter de dominer l'Europe du Nord. C'est pourquoi, avec la présence, de surcroît, en France, d'une communauté ibérique importante, surtout à Rouen, Corneille est intéressé par l'Histoire espagnole...

Corneille découvrira la célèbre pièce de Guillém de Castro *Las Mocedades del Cid* ou *Les Enfances du Cid*, œuvre datant d'environ 1618-1621, ainsi que *Las Hazanas del Cid* ou *Les Entreprises de la jeunesse du Cid*. *Les Enfances du Cid* est une pièce constituée en trois journées, équivalant aux actes, qui chacune présente une année de vie du Cid. Corneille a conservé cette trame dans sa tragi-comédie mais a resserré l'étreinte du temps pour constituer son intrigue.

Cette œuvre est née d'une succession d'ouvrages de types divers consacrée à la légende de Rodrigo Ruy Diaz de Bivar, être accompli et mythifié grâce à ses exploits lors de la *Reconquista* espagnole, la lutte des chrétiens contre les Mores, c'est-à-dire les musul-

El Poema del Cid ou *Le Poème du Cid*, publié pour la première fois vers 1779 par l'érudit Sanchez mais datant du milieu du XIIe siècle, poème d'environ 3744 vers, donne l'inspiration à nombre d'auteurs pour la rédaction de ballades qui seront recueillies et éditées au début du XVIIe siècle sous le titre de *Romancero del Cid* ou *Romancero General*. Les ballades en question sont rédigées à diverses époques. Elles traversent les siècles d'où la dénomination de mythe pour parler de Rodrigo Ruy Diaz de Bivar !

mans arabes. Rodrigo serait né aux alentours de 1043, près de Burgos, et mort vers 1099.

Beaucoup de textes avaient avant lui célébré le Cid Campeador, comme il était nommé : chanson de geste, poèmes lyriques, ballades…

Et après

C'est au XIXe siècle que l'on joue à nouveau la tragi-comédie de Corneille. 1872 : Mounet-Sully remet la pièce au goût du jour et interprète le personnage-titre en réinvestissant le texte intégralement. **La pièce triomphe, et ce jusqu'en 1913 environ.**

Au XXe siècle, après la Grande Guerre, le Théâtre du Vieux-Colombier reprend *Le Cid* en donnant du naturel au jeu des acteurs Mais c'est avec Jean Vilar et son Théâtre national populaire, que *Le Cid* connaît une nouvelle jeunesse, grâce à l'interprétation de Gérard Philipe.

1985 : au Théâtre du Rond-Point, Francis Huster met en scène un *Cid* tout particulier en intégrant la lecture par « Corneille » lui-même de l'examen de sa pièce ! Il triomphe par son innovation !

Réécritures de personnage du Cid

De grands auteurs du XIXe siècle se sont inspirés de cette histoire comme Leconte de Lisle dans *Les Poèmes barbares*, Victor Hugo dans *La Légende des siècles* ainsi que José-Maria de Heredia dans *Romancero du Cid*…

Des musiciens ont imaginé des opéras mais les deux plus attendus, non achevés, auraient été ceux de Bizet, *Don Rodrigue*, en 1865, dont seule la partition pour piano fut composée, et *Rodrigue et Chimène* de Claude Debussy, en 1892.

Les mots ont une histoire

Puisque vous avez lu et forcément apprécié cette œuvre tout à la fois romanesque par son thème et théâtralement menée d'une main de maître par Corneille, il ne vous aura pas échappé que les héros de cette tragi-comédie, à savoir Chimène et Rodrigue, sont des êtres extraordinaires. Qui dit extraordinaire dit « hors du commun des mortels » puisque le préfixe « extra » signifie « hors de » et qu'un héros est, par définition, au-dessus de nous.

Ainsi, si vous vous interrogez convenablement sur le dilemme qui contraint leurs deux existences personnelles, sans même penser à leur existence future commune, deux thèmes s'extraient de l'œuvre : l'honneur et l'amour.

C'est pourquoi nous allons mener notre enquête « étymologique » pour mieux comprendre d'où viennent les termes employés par Corneille et ce qu'ils contiennent en leur sens profond.

Saviez-vous que le terme « étymologie » avait lui-même une étymologie ? Challenge : recherchez l'étymologie du terme « étymologie » !

L'honneur

Dans *Le Cid*, il faut honorer son père, honorer sa famille, son rang, sa lignée pour s'honorer soi-même. Honneur et honorer sont deux termes de la même famille. Vous souvenez-vous de ce que signifie « mots de la même famille » ? Bien sûr, ce sont deux mots qui ont la même racine, laquelle se détermine par son étymologie.

Dans *Le Cid*, l'honneur de la famille apparaît sous plusieurs aspects et le champ lexical en est filé, c'est-à-dire développé, conduit, tout au long du texte théâtral à l'aide de plusieurs mots.

Si l'honneur doit se défendre au nom de la famille, il convient de débuter par l'étude du terme qui évoque les ascendants pour développer ensuite notre analyse sur ceux qui insistent sur la notion de valeur de la famille.

Aïeul, aïeux : au singulier, ce terme vient du latin *avus* qui signifie grand-père. Puis, par extension, les grands-parents, en y incluant les grands-mères : tous les ascendants, en fait. Que signifie « ascendant » ? Pour en trouver le sens pensez à des antonymes : descendant qui vient de descendre… Cela éclaire-t-il votre lanterne ? Le pluriel admet deux orthographes : aïeuls ou aïeux. Cependant, le sens n'est pas tout à fait le même au départ, même si, par la suite, les deux fusionnent : « aïeuls » désignent les grands-pères paternel et maternel, ou le grand-père et la grand-mère. Les aïeux, eux, font référence directement à tous les ascendants possibles. Lorsque, au vers 14, le Comte évoque les aïeux des deux soupirants de sa fille, il veut exprimer la bravoure de l'ensemble des ancêtres de Don Rodrigue et Don Sanche. Cet ensemble est désigné sous le nom de « **maison** » dans la pièce.

Cœur : du latin *cor, cordis* qui désigne l'organe. Par extension, le cœur désigne la poitrine lorsque l'on serre quelqu'un sur son cœur. Bien vite, le cœur désigne le siège des sentiments puis le sens moral, la conscience. Le cœur réfère au courage : ne dit-on pas un homme de cœur pour un homme courageux, qui met du cœur à l'ouvrage ? Cette acception est celle du vers 16. Alors, comment comprendre le vers prononcé par Don Diègue : « Rodrigue as-tu du cœur ? » auquel répond Rodrigue : « Tout autre que mon père / L'éprouverait sur l'heure. » Don Diègue sollicite chez son fils le courage puisqu'il doit défendre son honneur !

Honneur : du substantif latin *honorem* qui, en ancien français, donne « honor », mot féminin, comme tous les termes issus de noms latins abstraits se terminant en -or… Le genre ne se fixera que vers le xve siècle pour devenir masculin, mais notons que l'honneur est une question féminine au départ ! L'honneur est cette estime glorieuse que l'on accorde au courage, à la vertu. Il s'agit aussi d'un sentiment qui nous pousse à conserver notre considération face aux autres. Faire honneur à quelqu'un lui vaut une démonstration de respect et d'estime. Un homme d'honneur, quel est-il ? C'est celui qui arbore la franchise et la générosité. Terme très intéressant pour le Cid !

Maison : du substantif latin *mansionem*, issu du verbe *manere*, signifiant « rester ». « Maison » prend le sens du domicile, du lieu où l'on vit et où l'on demeure. Au vers 758, Elvire utilise le terme « maison » dans cette acception. Qu'il s'agisse des expressions maison de charité, maison d'arrêt, maison de commerce, de justice, elles désignent toutes un lieu clos où l'on peut rester. Le terme désignera ensuite des gens composant une même famille ou des gens au service d'une même famille. De là, naîtra le sens figuré pour désigner une famille de « race » noble, de « sang » noble, acception utilisée par le Comte au vers 17 concernant Rodrigue.

Race : l'étymologie est italienne, *razza*. La forme latine *radix* qui avait donné *radicem* est à exclure de l'étymologie du mot « race » français. « Race » désigne tous les membres d'une même famille. On oppose par ce terme la noblesse de la race d'une famille à ceux qui se sont fait anoblir, ce qui était commun au XVIIe siècle. D'ailleurs, la famille de Corneille ne s'est-elle pas fait anoblir ? La race désigne donc une lignée. L'expression « de notre race » utilisée par Mme de Sévigné, par exemple, signifie « de notre famille ». C'est dans cette acception que Don Diègue utilise le terme au vers 222. Ce terme peut prendre, de nos jours, une acception péjorative, puisque l'on classe les êtres humains en sous-races, admettant que nous n'appartenons pas à une seule race humaine… Sujet de discussions et de débats. Ainsi, pour défendre sa « race » au XVIIe siècle, faut-il défendre son « sang ».

Sang : du latin *sanguis*, *sanguinem*, faisant référence au liquide coulant dans nos veines. Le terme de sang s'utilise en évoluant pour caractériser différents états physiques et moraux : « avoir le sang chaud », « le sang lui monte facilement à la tête », « mon sang se glace » (métaphore pour signifier l'effroi). Ces expressions réfèrent à des états nerveux, dus aux états d'âme de chacun. Le terme de « sang » s'emploie au sens figuré pour désigner la valeur d'une personne : « avoir du sang aux ongles » signifie être courageux, « avoir du sang dans les veines » concerne la hardiesse d'une personne. Par extension, le sang désignera une famille, comme l'illustre l'expression «avoir du sang bleu», montrant l'appartenance à la noblesse. On parle de «pureté du sang» pour une famille de haute extraction, sans mésalliance ni bâtardise. Par la suite, le sang va pouvoir référer à ce qui lie les membres d'une même famille, et dans ce cas, on est du «même sang».

L'amour

Ce thème est l'enjeu majeur, après celui de l'honneur, qui régit notre pièce. Rodrigue et Chimène s'aiment mais il n'y a pas qu'eux! Chimène et Rodrigue sont aimés par des tiers : Don Sanche et l'Infante.

Amant : au féminin, on le trouve sous la forme d'«amante» dans la langue classique. L'étymologie dérive de celle du mot «amour». L'acception de ce terme est, tout d'abord, celui ou celle qui a fait connaître ses sentiments à quelqu'un et qui est aimé(e) en retour ou attend le retour de son amour. En toute logique, ce sont deux personnes qui s'aiment. Les synonymes, vous souvenez-vous de ce dont il s'agit ? Des termes ayant le même sens.

De nos jours, le terme peut être péjoratif lorsqu'il désigne un tiers qui s'introduit dans un couple. Avoir un amant, pour une femme mariée, est forcément de mauvais ton! De même s'il s'agit d'un homme.

Amour : ce mot est de la même famille que le verbe «aimer», qui vient du latin *amare* qui donne *amor*. L'amour est le sentiment d'affection qui lie des êtres les uns aux autres. Ce sentiment est modulable en fonction des liens : on peut aimer quelqu'un d'un amour filial, amical ou bien avoir un sentiment ardent pour une personne. Métaphoriquement, l'amour est un feu vif dans le cœur des êtres humains. Le terme amour peut être féminin au xviie siècle et même jusqu'au xixe.

Au singulier, amour ne se trouve qu'en poésie. La poésie étant le genre littéraire qui fait s'embellir les mots, il est logique qu'une exception lui soit accordée. Au pluriel, ce mot est toujours féminin. On parle des « amours défuntes » lorsque l'on a perdu celui ou celle que l'on aime. Et Arthur Rimbaud a écrit ce superbe vers : « Que d'amours splendides j'ai rêvées. » Vous retrouverez le poème et son titre en cherchant sur Internet…

L'amour peut aussi désigner l'objet du désir comme dans l'expression « mon cher amour ».

Hymen, hyménée : aux vers 100 et 108, ces deux termes sont employés dans la tirade de l'Infante. En grec, hymen désigne la divinité du mariage. Par extension, le mot prend le sens de chant du mariage et donc ne se cantonne plus qu'à l'union maritale.

« Hymen » et « hyménée » sont deux noms de la divinité païenne du mariage. Le paganisme, aux origines, définit les religions polythéistes. Si vous ne vous souvenez plus de ce dont il s'agit, amusez-vous à décomposer ce mot et à en chercher l'étymologie ! Étant deux mots de la même famille issus de la même étymologie, leur sens est similaire.

Nœud : du latin *nodus* : mais que vient faire un nœud dans toute cette histoire amoureuse ? Le nœud définit l'enlacement d'une corde, d'un ruban, de liens… Enlacement, cela peut nous éclairer sur l'utilisation de ce terme par Corneille au vers 160 : « Joignons d'un sacré nœud ma maison à la vôtre. » Le nœud réfère à tout ce qui attache des éléments entre eux. Lorsque Corneille fait dire ce vers à Don Diègue, il n'est pas question d'attacher au sens propre sa maison à celle du Comte, mais de lier Rodrigue et Chimène par le mariage…

Sentiment : son étymologie espagnole est *sentimiento*. Ce nom commun dérive du verbe « sentir » dont la racine latine, *sentire*, puis *sensus*, est à mettre en relation avec les sens. Le sentiment est à l'origine la faculté ou le résultat de l'action de sentir. Puis, les acceptions deviennent plus poétiques : le mot désigne les mouvements de l'âme, les passions, les affections bienveillantes. Enfin, le sentiment prend en charge l'ensemble des affections qui se situent dans le siège de ses émotions : le cœur.

Vœu, vœux : du latin *votum*, participe passé de *vovere*. L'acception est d'abord religieuse, désignant la promesse faite au ciel, à Dieu. Cette promesse engage celui qui la fait dans une entreprise qu'il choisit. Le vœu est donc soumis à la volonté propre de l'individu et ne lui est pas imposé. Il devient une promesse qui, par extension, désignera un consentement entre époux, un désir ardent, des désirs amoureux…

Les expressions imagées

Chaque écrivain a un style qui lui est propre. Aussi, lorsque vous étudiez de la littérature vous penchez-vous sur les figures de style. Afin de vous proposer une étude, reportez-vous au vers 41 pour commencer : quel terme vous semblerait imagé ? « ses feux » ? C'est exact.

On appelle cette expression **une métaphore** qui est une comparaison sous-entendue, implicite. Ici, les « feux » désignent l'amour ardent. Bien, cela, vous le saviez déjà.

Lorsque l'auteur veut développer sa métaphore, on parle de métaphore filée… **Une métaphore filée** est une métaphore qui se suit et est développée par un champ lexical. Mais qu'est-ce que le champ lexical ? Un groupe d'au moins trois mots qui se rapportent à un même thème.

Observons, acte II scène 3, la réplique de Chimène. L'amour est en danger. La métaphore filée est présente par le champ lexical marin : « orage ; bonace ; naufrage ; port ».

D'autres métaphores sont utilisées pour évoquer l'amour mais celles-ci ne sont pas forcément des images évocatrices des bienfaits de l'amour… À vous de les chercher ensuite.

Toutes ces métaphores sont aussi très exagérées. Vous souvenez-vous de cette figure de style qui consiste à exagérer les choses ? **L'hyperbole**.

Trois autres figures de style sont utilisées par Corneille pour évoquer à quel point l'amour peut être dévastateur… Mobilisez vos connaissances pour vous exercer dans la partie suivante.

1 L'honneur

- Retrouvez dans l'acte I un vers où l'on entend le terme « cœur » comme la « poitrine ».
- Trouvez l'étymologie de « courage ».
- Recherchez l'étymologie de « générosité ».
- Vers 1630, le sens s'enrichit de qualités morales. Comment l'adjectif « généreux » peut-il s'appliquer au Cid ?
- Recherchez les définitions des expressions suivantes : « Piquer d'honneur une personne » ; « se piquer d'honneur » ; « le champ d'honneur » ; « faire honneur à sa naissance ».
- Recherchez dans l'œuvre d'autres termes qui s'appliqueraient au champ lexical de l'honneur.
- Afin de vous amuser et d'enrichir votre vocabulaire, trouvez des termes dérivés de « sang », de la même famille, en ajoutant des préfixes ou des suffixes, et des expressions en corrélation avec notre œuvre !
- Reportez-vous au *Cid* et trouvez des vers dans lesquels le sang est utilisé au sens propre puis au sens de lignée.

2 L'amour

- Trouvez des mots formés à partir du mot « amour » ainsi que des expressions l'incluant.
- Devinette : que peut signifier l'expression : « les fruits de l'hymen » ?
- L'amour et l'honneur s'opposent dans la pièce et surgit alors le « devoir ». Cherchez comment son champ lexical est représenté.
- On pourrait penser que l'amour ne conduit qu'au bonheur, pourtant, pour l'Infante ou pour Chimène, le sentiment amoureux est cause de souffrance. Notez dans leurs répliques les termes qui le prouvent.

- Analysez la formation de «malheureuse», «déplaisir», «déses-poir», «ressentiment».

Figures de style

- Retrouvez dans l'ensemble du texte d'autres termes appartenant au champ lexical du «feu» et permettant de filer la métaphore de la passion.
- Acte I scène 3, cherchez deux métaphores évoquant les sentiments amoureux dans des répliques de l'Infante.
- Au vers 75, laquelle reconnaissez-vous ? Expliquez-la.
- Au vers 973, quelle est celle que Corneille utilise ?
- Faites de même au vers 526. Attention deux figures de style sont identifiables !
- Défi : Recherchez l'expression qui est utilisée pour souligner la force et la bravoure du guerrier ou de celui qui défend son honneur. Deux figures de style peuvent être acceptées pour analyser cette expression. Lesquelles ? Expliquez.

Les noms propres sont porteurs de sens

Chimène : Il est probable que le prénom Chimène soit issu du latin *Simena*, le nom d'une ville de Lycie. La Lycie est une province de l'Asie Mineure, région actuellement située en Turquie. En espagnol, *Jimena* ou *Ximena* est la femme que le roi impose à Rodrigo Diaz de Bivar dont il avait tué le père ! Ce prénom traduit en français équivaut à Simone, qui a une origine hébraïque : *Shim'ôn*, signifiant qui est exaucée. Peut-on accepter cette étymologie pour notre superbe Chimène ? N'est-elle pas exaucée lorsqu'elle demande à ce que Rodrigue, assassin de son père, soit le vainqueur du duel qui doit l'opposer à Don Sanche, celui qui devrait lui échoir comme époux ? Il nous paraît acceptable de l'entendre ainsi.

Rodrigue : ce prénom a une étymologie germanique, *Hrodric*. *Hrod* signifie « gloire » et *ric* « la puissance ». En latin, on trouve Rodericus. Ce prénom était donc fait pour notre héros. Rodrigue combat de manière puissante, avec force, contre ses ennemis, notamment les Mores, et le fait pour la gloire de sa famille et par là-même, la sienne !

Il existe des dérivés tels que Roderic, Rodrigo ou Ruy. Des personnages célèbres ont porté ce prénom : le dernier roi des Wisigoths d'Espagne tué par les Arabes, vers 711, lors de la conquête de l'Espagne. Le nom Ruy vous évoque-t-il quelque chose ? Ruy Blas, héros de la célèbre pièce de Victor Hugo.

Cid : vient de l'arabe *seid* ou *sidi*, signifiant « seigneur ». Ce sont les Mores qui donnent ce nom à Rodrigo Diaz de Bivar après qu'il les a vaincus. Vous savez que ce surnom honorifique est renforcé par Campéador, *campeador* signifiant « maître d'arme », du latin *campictador*.

Don, Dom : la forme « dom » vient du latin *dominus*, le maître. « Dom » est issue de la langue portugaise tandis que la forme « don » est espagnole. En latin, *dominus* est lié au substantif *domus* qui désigne la maison. Le dom est le seigneur qui possède une maison.

Elvire : ce prénom est d'origine germanique, *adal* signifiant «noble» et *wart* «gardien». Elvire est la suivante de Chimène, la gardienne de ses secrets.

Infante : normalement, ce terme est un nom commun mais il désigne dans la pièce un personnage, comme le ferait un nom propre. À aucun moment dans la pièce ce personnage n'est nommé par un prénom ou son patronyme et seule la didascalie initiale l'identifie sous le nom de Doña Urraque. «Infant» ou «infante» vient du latin *infans* qui désigne l'enfant, celui qui ne parle pas encore. Infante désigne, en Espagne ou au Portugal, l'enfant du roi, né après un frère ou une sœur, un cadet ou une cadette.

Léonor : ce prénom a deux origines, le latin *lenire* signifiant «apaiser une douleur ou une souffrance» et le grec *eleos* signifiant la «compassion». Dans *Le Cid*, Léonor est la gouvernante de l'Infante. Elle lui apporte des éclaircissements sur ses doutes, ses amours, son dilemme. Elle lui permet de calmer ses douleurs morales.

Dernières observations avant l'analyse

Il ne vous aura pas échappé que le sous-titre donné à cette pièce quasi éponyme, *Le Cid*, est « tragi-comédie »… Comment, ne savez-vous pas ce que signifie éponyme ? Éponyme est un terme grec qui se traduit par « sur » et « nom » d'où le fait qu'une pièce éponyme porte le nom de son personnage principal, en l'occurrence, ici, le Cid… Êtes-vous d'accord ?

Il convient donc, avant de nous lancer dans l'analyse, d'étudier les caractéristiques de la tragi-comédie et de son écriture.

1. La tragi-comédie

Comme son nom l'indique, la tragi-comédie est une alliance de tragédie et de comédie.

La tragédie a pour fonction de mettre en scène, selon des règles strictes édictées par Aristote dans sa *Poétique* rédigée à la période du théâtre antique, des personnages de hauts rangs, des nobles, par exemple, mus par des tourments incessants et voués à la fatalité… Le dilemme posé est bien souvent une histoire d'amour triangulaire et une lutte pour le pouvoir. Autant dire que la tragédie ne se termine pas très bien. Comme la tragédie est un genre noble, elle se doit d'être rédigée en vers.

La comédie, elle, de mœurs plus légères, met en scène des personnages plus modestes, des gentilshommes, des bourgeois, cela vous évoque-t-il un auteur ? Molière, bien sûr ! Des problèmes se posent, comme dans toutes pièces, mais se résolvent à la fin par le biais d'un hymen… Le style d'écriture est prosaïque.

La tragi-comédie allie l'ensemble de tous ces éléments. Elle s'inspire de romans-fleuves pour que l'intrigue soit « romanesque », et de pastorales. Dans ces œuvres, la conception de l'amour est héritée du Moyen Âge, de l'amour courtois qui se traduit par le dépassement de soi, l'exaltation de l'honneur, l'idéal chevaleresque. Afin d'arriver à son but, le héros traverse des phases comiques et des moments tragiques. Les péripéties et rebondissements sont multiples afin de ménager le plaisir du public. La fin est heureuse pour que ce dernier exulte! Les personnages sont de haute lignée et l'écriture est soutenue.

Comment savoir que *Le Cid* est un mélange de tout cela ?

Exercices

1. Retrouvez le rang des personnages intervenant dans cette pièce. Cela correspond-il à la définition de la tragi-comédie ?

2. Cherchez des moments où le héros et sa situation relèvent plus d'une sorte de comique que de tragique.

3. Identifiez les moments où la fatalité est à l'œuvre pour les amants.

4. Faites la liste des péripéties.

5. Repérez des endroits où la dimension épique du héros est soulignée.

2. L'écriture versifiée

Quoi de plus logique pour un maître tel que Corneille que de rédiger son poème tragique, ainsi que l'on nomme le théâtre, en vers? Cependant, savez-vous les identifier ?

Une règle de base régit l'écriture poétique. Vous rappelez-vous laquelle ? Celle du « e » muet, évidemment! Challenge : remémorez-vous cette règle et notez-la sur votre cahier!

Une fois cette règle revenue dans vos mémoires, amusez-vous à compter les syllabes des deux vers suivants et d'en déterminer le type :

« Il/ sem/ble/ tou/te/fois/ que/ mon/ â/me/ trou/blée

Re/fu/se/ cet/te/ joie/, et/ s'en/ trou/ve ac/ca/blée. »

Vous avez compté 12 syllabes, on appelle ce vers un **alexandrin**, vers classique par excellence.

L'alexandrin se décompose en deux parties. La plupart du temps, la pause se fait d'elle-même par la construction grammaticale de la phrase :

« Il semble toutefois// que mon âme troublée

Refuse cette joie//, et s'en trouve accablée. »

Les six syllabes d'un alexandrin se nomment un **hémistiche**.

Les répliques sont présentées, pour la plupart, sous forme de strophes de longueurs diverses.

Exercices

1. L'alexandrin est-il le seul vers utilisé? Observez la scène 2 de l'acte II. Cette scène nous présente le duel entre le Comte et Rodrigue. Entendons-nous bien. Il s'agit non du duel physique mais d'un duel langagier, une **logomachie.** *Encore un peu d'étymologie?* **Logos** *signifiant langage et* **machie,** *combattre : il s'agit donc d'un combat de mots. Étudiez les vers qui vont de la première réplique de Rodrigue, qui engage la conversation, à la réplique suivante du Comte : «Jeune présomptueux.» En adoptant la règle du «e» muet, concluez sur les vers utilisés.*

2. Les répliques s'enchaînent rapidement, on appelle cela la **stichomythie.** *L'impression qu'on en tire est-elle d'un dialogue très artificiel ou d'une conversation réelle?*

3. Cherchez une autre scène où la logomachie s'opère à l'aide de stichomythies.

3. Les stances

Corneille use d'une particularité d'écriture, chère à la tragi-comédie : les **stances**. Elles sont simples à repérer. Cherchez dans l'œuvre, à l'acte I, un moment où vous avez l'impression que le personnage dit, non pas une simple réplique, mais une sorte de poème. Il s'agit de la scène 7. Il s'agit d'une forme de **monologue poétique** nommé les stances.

Exercices

1. Étudiez la composition de ce monologue : quels sont les types de vers utilisés ? Comment sont-ils répartis dans les strophes ?
2. À qui s'adresse Rodrigue ?
3. Cherchez l'autre scène où les stances sont utilisées.

4. Les répliques connues

Cette pièce si particulière a laissé dans notre mémoire collective des répliques que nous connaissons par cœur, sans même savoir parfois qu'il s'agit de vers issus du *Cid*. On parle de **sentences** ou d'**aphorismes**. Un aphorisme est une sorte de proverbe. Ici, ce terme peut être aisément utilisé puisque ces répliques prennent valeur de vérité générale, comme le font les proverbes.

Voici un ou deux exemples de vers à la pointe de la mode, si nous pouvons dire… À vous, ensuite, d'en chercher d'autres.

« Rodrigue as-tu du cœur ? »
« Ô rage, ô désespoir ! ô vieillesse ennemie ! »

Exercices

1. Quels sont les autres exemples d'aphorismes ?
2. De quel autre auteur du XVIIe siècle connaissons-nous également des citations par cœur ?

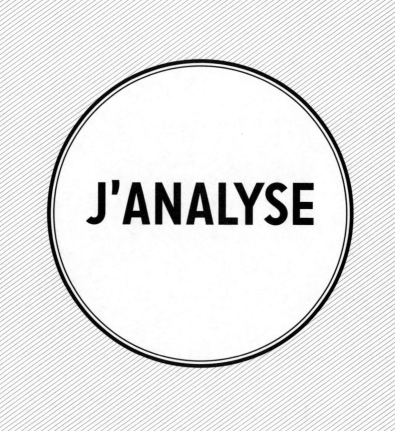

J'ANALYSE

Cherchez l'intrus

1 Qui n'est pas épris de Chimène ?
   Don Sanche.
   Don Rodrigue.
   Don Gormas.

2 Quelle attitude Rodrigue n'adopte-t-il pas vis-à-vis de Chimène ?
   Il entre chez elle une épée à la main, ensanglantée.
   Il transporte avec lui un revolver fumant, preuve qu'il a tué son père.
   Il lui déclare sa flamme.

3 Qui Rodrigue n'affronte-t-il pas ?
   Don Sanche.
   Les Mores.
   Don Arias.

4 Quel lieu n'est pas représenté sur scène ?
   La cour royale.
   Le champ de bataille.
   L'appartement de Chimène.

5 Quels personnages ne s'opposent pas les uns aux autres ?
   Chimène et l'Infante.
   Léonor et Elvire.
   Don Gormas et Rodrigue.

6 Quelle réplique ne reste pas célèbre?

« Rodrigue as-tu du cœur ? »

« Ôte-moi cet objet odieux / Qui reproche ton crime et ta vie à mes yeux. »

« Je suis jeune, il est vrai, mais aux âmes bien nées / La valeur n'attend pas le nombre des années. »

7 De qui Rodrigue n'épargne-t-il pas la vie?

Elvire.

Don Sanche.

Le Comte.

8 Avec qui Chimène ne dialogue-t-elle jamais?

Rodrigue.

Léonor.

Elvire.

Au cœur de la phrase

Il convient de nous interroger, dorénavant, sur l'étude de la langue. Débutons par des remarques sur la structure de la langue du XVIIe siècle pour, ensuite, mener notre réflexion sur l'argumentation qui constitue un pan important des répliques de nos personnages : les personnages sont en conflit quasiment constant et doivent, de ce fait, organiser leurs idées.

1. L'ordre des mots

La langue du XVIIe siècle nous paraît parfois bien obscure. Les mots ne sont pas toujours placés dans l'ordre dans lequel nous les placerions actuellement. Il s'agit d'un héritage du latin, langue dans laquelle le verbe se plaçait toujours en fin de phrase.

Exercices

1. Acte I scène 3 : recherchez trois expressions qui ne sont pas formulées telles que nous les formulerions actuellement. Pour vous guider, il y en a une dans une réplique de l'Infante, une dans une réplique de Léonor et une dans une réplique du Page.

2. Réécrivez les vers comme on les dirait aujourd'hui.

2. La valeur des temps

Dans un récit, comme au théâtre, les temps ont une importance capitale pour la transmission des informations : on parle de la «valeur des temps». Dans *Le Cid*, il existe une partie où l'action est narrativisée, si nous pouvons dire, car elle est racontée sous la forme d'une tirade par Rodrigue : il s'agit du combat contre les Mores duquel il est revenu vainqueur.

Les temps du récit sont l'imparfait et le passé simple. Leurs valeurs sont diverses : l'imparfait peut camper l'action et admettre une valeur d'arrière-plan, il peut dessiner un portrait, peindre une description. Il peut aussi évoquer une action qui dure ou qui se répète. Le passé simple rompt avec l'arrière-plan et souligne, lui, les moments importants : une action ponctuelle ou de premier plan.

Le présent de l'indicatif a, lui, une valeur particulière dans le récit…

Reportez-vous donc à la tirade de la scène 3 de l'acte IV : le récit épique de Rodrigue.

Exercices

1. Retrouvez les trois temps dominants dans cette tirade.

2. Aux vers suivants, après avoir identifié les temps, dites ce qu'ils soulignent, ce qu'ils expriment : vers 1268 de la tirade page 94, vers 1269 et 1270, vers 1272, vers 1275-1277, 1285, 1286, 1291, 1300 et le dernier vers. Donnez ensuite leurs valeurs.

3. Trouvez d'autres valeurs du présent de l'indicatif aux vers suivants de la même tirade : 151, 377.

3. *La phrase*

Afin de débattre les protagonistes doivent organiser leurs propos. Cela passe donc par la **construction de la phrase**. Elle peut être verbale ou averbale, c'est-à-dire contenir ou non un verbe. Lorsqu'elle est verbale, elle s'organise autour d'un verbe conjugué. Et la phrase sera dite simple si elle admet un seul verbe conjugué et complexe si elle en admet au moins deux.

Chaque phrase contient une intention qui est importante au théâtre : exclamative, qui souligne les émotions et le ton de l'acteur ; déclarative, se terminant par un simple point ; interrogative, suggérant les incertitudes des protagonistes et injonctive quand ceux-ci donnent des ordres.

Prenons en référence la scène 4 de l'acte III.

Exercices

1. Observez les vers suivants pages 69 :
« Rodrigue : Écoute-moi.
Chimène : Je me meurs.
Rodrigue : Un moment. »
De quel(s) type(s) et forme(s) de phrase s'agit-il ?
2. Prenons la tirade de Rodrigue page 71. Observez le début des vers 879 à 888. combien y a-t-il de phrase(s) ? Justifiez s'il s'agit d'une phrase simple ou complexe.

4. *L'argumentation :*
relations et connecteurs logiques

Dans une argumentation, l'idée principale, la **thèse**, est soutenue, c'est-à-dire développée à l'aide d'arguments. Ceux-ci s'enchaînent au gré des propositions qui peuvent être reliées par un **connecteur logique**, à savoir un mot de liaison organisant le sens des propos ou un signe de ponctuation.

Lorsque les propositions sont associées par un mot de liaison, l'idée exprimée sera **explicite**, c'est-à-dire formulée clairement. En revanche, si les propositions sont reliées par une ponctuation, l'idée exprimée sera **implicite**, sous-entendue.

On appelle **rapport logique** ou **relation logique** le sens qui se dégage dans la mise en relation de diverses propositions. On peut exprimer la cause, la conséquence, l'opposition, la concession… Simplifions les choses en considérant, pour le moment, qu'une proposition est un morceau de phrase s'organisant autour d'un verbe conjugué.

Exercices

Considérez les vers 879 à 884, qui forment une unité de démonstration.

1. Délimitez les différentes propositions.

2. Repérez le moyen par lequel sont reliées les propositions 2 et 3, 3 et 4, 4 et 5.

3. Complétez : ces propositions sont coordonnées et …

4. Quel lien logique expriment «mais» et «car»?

5. Considérez les vers 886 à 888 comme une unité de sens dont chaque vers doit être étudié isolément. Faites de même avec les propositions, mais cette fois remplacez les signes de ponctuation par un mot de liaison. S'il y a un mot de liaison, expliquez-le. Déduisez-en les relations logiques implicites exprimées entre les différentes propositions.

6. Quelle thèse Rodrigue soutient-il dans ces vers? Quels sont ses arguments?

La construction du texte

Un drame en cinq actes se structure forcément autour de points forts. De l'acte I, qui ouvre l'intrigue au spectateur-lecteur, à l'acte V, qui voit l'aboutissement de l'histoire, le dramaturge doit forcément œuvrer pour que l'intérêt du spectateur-lecteur subsiste.

1. L'exposition

Comme toute pièce de théâtre classique ou non, la première scène expose les tenants et laisse deviner les aboutissants de l'intrigue. Ainsi, cette première scène du *Cid*, totalement exclue de la version de 1668, va-t-elle donner au spectateur-lecteur les clés de l'intrigue…

À vous de la décrypter…

Exercices

1. Cette scène commence-t-elle **in medias res**, c'est-à-dire «au cœur des choses»? Justifiez.
2. En la lisant, notez les éléments d'intrigue qui sont présentés et accompagnez-les de citations.
3. Quelle scène vient la compléter? Justifiez.

2. Affrontements et parallélismes

Les scènes d'affrontement sont récurrentes dans la pièce et la structurent. Elles mettent en évidence la confrontation des valeurs à l'intérieur d'une famille ou entre les membres de lignées opposées.

1. Il y a une scène d'affrontement dans les trois premiers actes de la pièce. Retrouvez-les, précisez qui elles opposent et quel est le motif de l'affrontement.
2. Quel intérêt dramatique revêtent-elles ?

Le **monologue** est une convenance théâtrale dans laquelle le personnage, seul en scène, exprime ses pensées. Cela lui permet de faire un point sur l'action, de délibérer tout en s'adressant au spectateur-lecteur. On appelle cela la **double-énonciation**.

Don Diègue est le personnage aux deux monologues. Retrouvez-les, relisez-les et dites quel rôle ils ont par rapport à l'intrigue.

Les **stances** sont des formes particulières de monologues, plus lyriques, dont la construction met en valeur les émotions.

1. Retrouvez les deux endroits où les stances sont utilisées par Corneille et étudiez-en la versification.
2. Qui sont les deux personnages qui les utilisent ? Pourquoi eux ?

3. La règle des trois unités

La règle des trois unités s'est imposée après 1630, en référence à la *Poétique* d'Aristote. Elle est devenue peu à peu un modèle à suivre et c'est pourquoi *Le Cid* a fait l'objet d'une « querelle ». Cette règle s'énonce de cette façon : unité de lieu — la pièce doit se dérouler en un seul endroit précis —, unité de temps — l'action doit se dérouler en une journée —, unité d'action — il ne doit y avoir qu'une seule action principale acceptée comme fil conducteur de la pièce… Il est vrai que ces règles laissent à désirer dans *Le Cid*… À vous d'en juger après quelques recherches.

Unité de lieu : dans la didascalie initiale présentant le décor, on lit que la scène est à Séville. En toute logique, l'action doit avoir lieu dans un palais puisque *Le Cid* étant une tragi-comédie les personnages évoluent dans un monde aristocratique, comme dans la tragédie. Est-ce le cas ?

Exercices

1. Relisez la pièce en étant attentif aux indications spatiales. Savez-vous où exactement se déroulent les scènes et les actes ? Quels sont les indices ? Repérez l'endroit où se termine chaque acte et celui où commence le suivant. Y a-t-il des transitions claires ?
2. Concluez : Corneille respecte-t-il stricto sensu la règle de l'unité de lieu ?

Bien, nous avons constaté que Corneille s'affranchissait quelque peu de l'unité de lieu. Qu'en est-il de **l'unité d'action** ?

Exercices

1. À vous de jouer ! Nous sommes dans une tragi-comédie. Répertoriez les actions : principale et secondaires.
2. Concluez sur le respect (ou non) de l'unité d'action…

Contenir l'action en vingt-quatre heures pour respecter l'**unité de temps** doit être crédible. Chez Guillém de Castro, l'intrigue prenait soixante-douze heures pour s'accomplir ! Certes, Corneille a ôté tous les épisodes qu'il jugeait trop longs, peu pertinents, sans intérêt, pour faire avancer l'histoire, mais est-il parvenu à respecter les vingt-quatre heures désirées par les « classiques » ?

Exercices

Nous vous proposons, en relisant la pièce, de juger si les vingt-quatre heures sont probables. Listez les événements relatés et essayez de voir si Corneille est parvenu à respecter la règle. Et pour commencer, supposons que l'acte I débute un matin. À vous !

4. Vraisemblance et bienséance

La **vraisemblance** est l'illusion du vrai. On n'exige pas d'une pièce qu'elle soit réaliste mais qu'elle donne une impression de réalité. D'une certaine façon, les choses qui s'y passent devraient être transposables dans la vie du spectateur. Quant à la **bienséance**, elle correspond à ce qui est convenable : ne pas choquer est le maître mot.

Soyons réalistes à notre tour : la multitude des actions accomplies par Rodrigue s'inspire des actes héroïques de Rodrigo de Bivar qui, ne l'oublions pas, sont bien réels mais ont été érigés en légendes ! Tant d'exploits, ainsi magnifiés par la mémoire collective, se sont éloignés de la vérité…

Exercices

Pour les bienséances, à vous de juger. Vous l'avez lu dans « Retour dans le passé », certains moments ont heurté la sensibilité du public contemporain du Cid. Mais vous, aujourd'hui, êtes-vous toujours choqué par certaines scènes ?

Caractérisation des personnages

Un auteur construit ses personnages pour qu'ils représentent des types sociaux ou moraux. À sa disposition, portrait physique, portrait moral et participation à l'action. Menons l'enquête pour retrouver les éléments qui élaborent les personnages du *Cid*.

1. La didascalie initiale

La didascalie initiale, qu'on appelle aussi liste des acteurs, liste des personnages, ou générique au cinéma, est très instructive. La position des noms des personnages, leur dénomination, tout ce qui permet de les inscrire dans un type est important.

Exercices

1. Commentez l'ordre dans lequel les personnages apparaissent. Est-il conforme à l'importance dramatique de chacun d'eux ?
2. Dressez deux listes : les personnages affublés d'une information sociale et les autres. Commentez cette répartition.
3. Relevez-vous des absences surprenantes ?

2. Le héros cornélien

Les amants, Rodrigue et Chimène, sont confrontés à un problème délicat à résoudre : faut-il aimer ou défendre son lignage ? Le héros est généreux puisqu'il sacrifie son bonheur personnel à l'honneur de la famille. Il se fait violence pour lutter contre ses désirs et ses attachements.

Exercices

1. Au travers de la pièce, montrez que Chimène et Rodrigue évoluent.
2. Qui résout le dilemme ?

3. Les pères et le Roi

Les pères et le Roi sont des figures vieillissantes. Ils incarnent des qualités désuètes ou qui vont s'effacer au profit d'une nouvelle échelle de valeurs. Ces hommes, par leur âge et leur statut, représentent un pouvoir absolu, fondé sur le respect et la tradition.

Exercices

1. En étudiant la pièce, démontrez que les pères de Chimène et de Rodrigue incarnent les valeurs féodales passées.
2. Montrez que le personnage du Roi évolue au fil de la pièce et finit par incarner le pouvoir monarchique absolu.

Les intentions de l'auteur : divertir

Lorsque Corneille rédige *Le Cid*, vers 1636, il est déjà un dramaturge reconnu. Sa première pièce, *Mélite*, une comédie, en a fait un auteur à succès. Il s'était déjà essayé et à la tragi-comédie avec *Clitandre* et à la tragédie avec *Médée*. Autant dire que Corneille connaissait bien tous les ressorts de l'art dramatique. Qu'y a-t-il de comique et de tragique dans *Le Cid* ? Cette pièce mérite-t-elle bien l'appellation de tragi-comédie ?

1. La dimension comique

Le comique de caractère met en évidence les défauts d'un protagoniste. Dans la scène d'exposition, le Comte, personnage qui, étant donné son rang social, devrait être exclu de ce type de comique, converse avec la suivante de Chimène. Il s'inquiète des amours de sa fille chérie. Cette scène nous introduit dans l'intimité domestique des personnages, comme si nous assistions à l'exposition d'une comédie. Le père semble prêt à tout pour connaître les volontés de sa fille et donne ordre à Elvire de faire la lumière sur les sentiments de Chimène : « Cache mon sentiment et découvre le sien » (v. 26). Le Comte se montre surprotecteur et indiscret, comme tout bon père de comédie.

Exercices

Dans l'acte I, une autre scène rend visible une facette du Comte qui ne le grandit pas non plus. Cherchez-la et commentez l'attitude du personnage. Quels sont les défauts ici révélés ?

Le comique de geste repose sur des mouvements outranciers qui enchérissent bien souvent sur le comique de situation. Lorsque le Comte et Don Diègue en viennent aux mains, est-ce là une attitude qu'on attendrait dans une tragédie ? Le Comte, excédé, en vient à souffleter son adversaire ! Cela n'est pas convenable pour deux personnages si haut placés de se quereller de la sorte — rappelons que l'un vient d'obtenir la faveur du Roi pour briguer la meilleure place auprès du Prince.

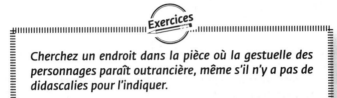

Cherchez un endroit dans la pièce où la gestuelle des personnages paraît outrancière, même s'il n'y a pas de didascalies pour l'indiquer.

Le comique de situation naît de la façon dont les personnages sont placés dans un état de fait qui les surprend ou les porte à la faute. C'est le cas de Chimène, par exemple, qui réclame justice à cor et à cri quand la Cour accorde toute son attention à Rodrigue, le combattant des Mores. À la scène 5 de l'acte IV, le Roi met à l'épreuve l'amour de la jeune fille par un mensonge : il prétend que Rodrigue est mort. Plus encore, il demande à Don Diègue de jouer un rôle : « Contrefaites le triste », lui dit-il, se faisant metteur en scène. Situation qui relèverait de la comédie, voire de la farce…

Exercices

Cherchez dans Le Cid une scène de quiproquo, c'est-à-dire une situation qui est comprise différemment par les protagonistes et qui aboutit à une mauvaise interprétation des événements.

2. La dimension tragique

La **fatalité** est le moteur essentiel de toute tragédie. Le mot vient du latin *fatum*, le « destin », ce qui ne peut manquer d'arriver et les personnages de la tragi-comédie ne peuvent pas se soustraire à leur destinée, déjà tracée.

Lorsque le héros est en danger ou face à une issue fatale, le public peut s'identifier à lui et ressentir les mêmes émotions. On parle alors de *catharsis*, ce mot grec qui signifie « purgation ».

Exercices

1. Retrouvez au moins deux scènes dans lesquelles la fatalité est en œuvre.
2. Sachant que la bonace désigne une mer calme, quel sens donnez-vous à ces vers prononcés par Chimène ?

« Mon cœur outré d'ennuis n'ose rien espérer,
Un orage si prompt qui trouble une bonace
D'un naufrage certain nous porte la menace.
Je n'en saurais douter, je péris dans le port. »

Quels mots portent plus précisément l'idée de fatalité ? Vous avez reconnu une métaphore : comment est-elle filée ?

Quelle vision de la société dans *Le Cid* ?

L e contexte dans lequel s'inscrit l'écriture du *Cid* est complexe, qu'il s'agisse de la politique extérieure ou de celle menée au sein de l'État.

Au début du XVIIe siècle, la France est traumatisée par un climat guerrier. Guerre civile d'un côté, les catholiques et les protestants se déchirent ; guerre hors de nos frontières.

1. *En guerre contre l'Espagne*

En 1636, alors que Corneille fait jouer *L'Illusion comique*, il se lance dans l'écriture du *Cid*. Louis XIII et Richelieu, son ministre influent et puissant, ont déjà engagé la France dans la guerre dite de Trente Ans, depuis le printemps 1635. L'Espagne ambitionne alors de dominer l'Europe du Nord. Et **lorsque Corneille rédige *Le Cid*, les troupes espagnoles envahissent la France par la Picardie.** De 1635 à 1636, les combats sont multiples et incertains. Par exemple, les troupes espagnoles prennent Corbie et gagnent du terrain mais Richelieu parvient à les repousser et à reprendre la ville. **Le pouvoir royal est conforté tout comme Richelieu, ce qui sera important pour Corneille.**

Cette guerre a beaucoup influencé l'écriture du *Cid*. **Il est significatif, même si la littérature espagnole est très en vogue au XVIIe siècle,** que Corneille ait choisi la figure exemplaire de Rodrigo de Bivar comme modèle de son héros. **Le mythe du Cid s'inscrit dans le décor de la période de la *Reconquista* espagnole qui opposa les Espagnols catholiques aux Arabes musulmans. La *Reconquista* débute au XIe siècle, sous le roi Ferdinand Ier.** Dans l'œuvre de Corneille, **Ferdinand Ier est incarné par Don Fernand.** Les Arabes sont les Mores qu'on évoque dans notre pièce. Corneille installe son intrigue à Séville. Cette cité organise ses activités autour de son port fluvial. Cela lui permet alors de mettre en scène les invasions des Espagnols tel qu'ils ont procédé en France.

Exercices

Recherchez dans l'œuvre les endroits où l'on évoque l'invasion prévue par les eaux et la réussite des troupes du Roi.

2. Vers un pouvoir royal absolu

Vers le milieu du XVIIᵉ siècle, le pouvoir royal tente de se renforcer en mettant en place beaucoup d'interdictions. Elles concernent aussi bien **la politique que les arts.**

Dans *Le Cid*, Corneille illustre l'évolution de la société de son temps. **D'un système féodal ancien, dans lequel le souverain doit composer avec les seigneurs qui détiennent des fiefs, on passe à une organisation politique dans laquelle le roi détient un pouvoir quasi absolu.** Corneille fait réfléchir son public sans prendre réellement parti. Voici de quelle manière.

À l'époque du *Cid*, les aristocrates voient leur liberté bridée. Jusqu'aux années 1620, ils pouvaient se faire justice eux-mêmes par le duel. Le roi n'intervenait pas sur les différends au sein de l'aristocratie. Deux types de duels existent alors : celui que l'on décide de provoquer sans avoir à en référer à quiconque et ce qu'on appelle le duel judiciaire, qui doit obtenir l'assentiment du roi. Ce dernier est interdit dès 1613 et remplacé par un système de peines proportionnelles à la gravité de l'acte commis. Un code de criminalité se substitue aux duels.

Pour accroître le pouvoir du souverain, Richelieu interdit toutes les formes de duels par deux édits en 1626 et 1634. Inutile de préciser que cela fit grand bruit dans l'aristocratie ! *Le Cid* s'inscrit dans ce contexte.

Dans la pièce, le pouvoir royal est occasionnellement mis à mal, au moment des duels, notamment. Don Diègue demande à son fils de provoquer le Comte en duel et le Roi n'en est pas informé. Chimène brave la justice royale quand elle demande à Sanche de combattre contre Rodrigue. On a recours au duel puisque la justice royale est trop lente : cela est illustré à l'acte III, scène 3.

Certains personnages incarnent les anciennes valeurs féodales tandis que d'autres illustrent la mise en place du pouvoir absolu. **Corneille montre donc que règne à son époque un certain trouble social qui peut trouver sa solution.**

Le Comte conteste la décision du Roi qui a préféré nommer son rival comme précepteur. **En désobéissant, il dit que les rois sont faillibles.** Don Sanche défend le Comte et, s'associant à un de ses pairs, incarne encore **les anciennes valeurs féodales.** Cependant, l'évolution vers l'absolutisme est lisible dans *Le Cid* : Don Arias montre que le pouvoir du Roi doit être respecté (acte II, scène 1). Et c'est le Roi qui dessine le destin de Rodrigue : il était hors-la-loi pour avoir tué le Comte lors d'un duel illicite, il devient le Cid sur la décision du Roi lorsqu'il revient du combat glorieux. C'est encore le Roi qui lui intime l'ordre de retourner combattre durant un an afin de pouvoir prétendre épouser Chimène.

Le roi du Cid incarne le **pouvoir monarchique moderne recherché par Richelieu : l'absolutisme.** Et dans cette visée, le théâtre joue un rôle important : la scène doit être un relais de la représentation du pouvoir monarchique absolu. Le mécénat que Richelieu a mis en place poursuit donc un but politique tout autant que culturel.

Résumons !

Si vous avez bien lu, vous pourrez replacer facilement les termes suivants au bon endroit : duel ; tragi-comédie ; épique ; honneur ; soufflet ; épargne ; Doña Urraque ; Mores ; Cid ; hymen.

Don Gomès, le Comte, s'entretient avec Elvire, la suivante de sa fille, sur ses amours. Tout paraît simple : Don Rodrigue a les faveurs de la fille et de son père. Mais la **...** impose que la situation se complique. D'une part, l'Infante, **...**, aspire à gagner le cœur de Rodrigue. De l'autre, une dispute éclate entre les deux pères, Don Gomès se sentant blessé par le choix du Roi qui lui préfère Don Diègue aux fonctions de précepteur de son fils. Et Don Diègue, offensé par le **...** donné par le Comte, demande à son fils de laver son **...**.

Rodrigue, déchiré entre son amour pour Chimène et la réputation de sa lignée, tue le père de sa dulcinée ! L'Infante pense alors pouvoir tirer profit de la situation. Chimène ne suivant que son devoir demande justice auprès du Roi : il faut tuer l'assassin de son père.

Poussé par son père, Rodrigue part attaquer les **...**. Selon Don Diègue, cet acte héroïque est le seul moyen de parvenir à reconquérir Chimène et à obtenir le pardon du Roi.

C'est le grand moment de l'acte IV : Rodrigue revient vainqueur et fait le récit de ses combats, de manière **...**, devant la Cour. Cet acte de bravoure lui vaut le surnom du **...** mais ne suffit pas à apaiser la volonté de vengeance de Chimène. Un **...** oppose Rodrigue et Don Sanche, le vainqueur obtiendra la main de Chimène. Le Cid en sort victorieux et **...** son adversaire. Pour accéder au souhait de Chimène qui ne peut concevoir qu'une même journée voie la mort de son père et son **...**, le Roi impose à Rodrigue de repartir en guerre. Il en reviendra plus glorieux encore et épousera Chimène.

Exercices

LE FURET LECTEUR :
ACTE I, SCÈNES 1 ET 2

1. En relisant la scène 1, quels indices avez-vous pour comprendre que la scène 2 va forcément présenter Chimène en scène ?
2. Comment voyez-vous que Chimène s'en remet à la décision de son père ?
3. En quoi cette scène aurait-elle pu être la seule scène d'exposition de la pièce ?
4. Cette scène relève du registre tragique : prouvez-le.
5. Certains ont jugé cette scène inutile. Pourtant elle complète la scène 1 : de quelle façon ?

LECTURE À LA LOUPE :
ACTE I, SCÈNE 7

1. Déterminez la particularité de cette scène.
2. Étudiez chaque stance et donnez-en la teneur tragique.
3. Pourquoi ce monologue si particulier est-il le temps fort de la pièce ?
4. Comment cette scène annonce-t-elle l'acte suivant ?

LE FURET LECTEUR : L'ACTE II

1. Dans combien de scènes apparaît l'Infante ? Quel rôle a-t-elle ?
2. Déterminez la situation d'énonciation de la scène 2. Par quels moyens voyez-vous que les deux personnages s'opposent ? Relevez le champ lexical de l'honneur que Rodrigue défend. Qu'est-ce qui traduit le mépris du Comte ?·
3. Qu'est-ce qui vous fait dire que Rodrigue a vraiment du « cœur » ?
4. Dans la scène 7, comme vous avez bien suivi l'histoire, dites qui prononce ces mots : « Il a tué mon père » et qui lui répond : « Il a vengé le sien » ? Comptez le nombre de syllabes de chacune de ces répliques. Quel type de vers ces deux répliques composent-elles ?

LECTURE À LA LOUPE :
ACTE III, SCÈNE 4, LA CONFRONTATION DES AMANTS

1. Quel personnage est présent mais n'intervient pas ? Pourquoi ?
2. À quel type d'affrontement avons-nous affaire ?
3. Commentez le passage du vouvoiement au tutoiement.
4. En quoi cette scène reflète-t-elle le tragique de la pièce ?

LECTURE À LA LOUPE : ACTE IV, SCÈNE 3 :
DERNIÈRE RÉPLIQUE DE RODRIGUE (V. 1267-1339)

1. Pourquoi peut-on dire que cette réplique est une tirade ?
2. Peut-on parler d'un récit en vers ? Justifiez votre réponse par l'étude des temps, notamment.

3. Comment voit-on que Rodrigue et ses acolytes sont forcément les héros de cet épisode ?
4. En quoi cette tirade est-elle épique et comment Rodrigue parvient-il à gagner le statut de héros ?
5. Pourquoi cette scène est-elle déterminante pour la suite de la pièce ?

LE FURET LECTEUR :
ACTE V, SCÈNES 6 ET 7

1. Combien comptez-vous de personnages ? Que pouvez-vous en conclure ?
2. Pourquoi Chimène accepte-t-elle d'avouer son amour ?
3. Pourquoi l'intervention de l'Infante est-elle importante ?
4. De quelles qualités le Roi fait-il preuve dans cette scène ? Est-il à la hauteur de ce qu'on peut attendre de sa fonction ?
5. En quoi peut-on dire que ce dénouement est tragi-comique ?
6. Pourquoi les deux scènes constituent-elles le dénouement ?

Jeu de lettres

Retrouvez les bons mots en mettant les lettres dans l'ordre, car celles-ci ont perdu leur emplacement, et en trouvant la lettre manquante.
Aidez-vous des définitions. Les mots sont contenus dans la pièce.

1. FNTNIA + lettre manquante : fille du Roi.
2. EFU + lettre manquante : métaphore de la passion.
3. GEA + lettre manquante : personnage qui a peu de répliques…
4. RMAU + lettre manquante : un sentiment qui traverse la pièce.
5. ICNHEA + lettre manquante : les fers qui enserrent Doña Urraque.
6. EÉGLN + lettre manquante : désigne la famille.
7. UFSELOF + lettre manquante : c'est la cause initiale de la discorde !
8. DC + lettre manquante : le héros.
9. XEVU + lettre manquante : on les prononce pour s'engager.
10. NEHOUR+ lettre manquante : on le lave, on le défend, on l'attaque…

Challenge : en mettant à leur bonne place les lettres manquantes, retrouvez un moment de la pièce.

1	2	3	4	5	6	7	8	9	10

Le 20 sur 20

Avez-vous bien lu *Le Cid* et le dossier ? Les 10 premières questions concernent l'œuvre, les 10 suivantes le dossier. Vous pouvez vous auto-évaluer en vérifiant les réponses qui sont à l'envers, à la page suivante.

1. Qui est la suivante d'Elvire ?
2. Un des personnages ne prononce qu'une seule réplique : lequel ?
3. Qu'est-ce qui vaut à Rodrigue d'être appelé le Cid ?
4. En combien d'actes la pièce se déroule-t-elle ?
5. Qui est Don Arias ?
6. Don Sanche aime-t-il l'Infante ?
7. Don Sanche représente-t-il le pouvoir féodal ou monarchique ?
8. Combien de femmes sont représentées sur scène ?
9. Complétez ce vers fameux prononcé par Rodrigue : « La valeur n'attend pas le nombre des **...**. »
10. Combien de fois les amants se rencontrent-ils dans des scènes déterminantes où ils peuvent converser ?

1. Corneille n'a écrit que des tragédies : vrai ou faux ?
2. Corneille est né au XVIᵉ siècle : vrai ou faux ?
3. Son frère Thomas est plus âgé que lui : vrai ou faux ?
4. Comment appelle-t-on un demi-alexandrin ?
5. Qu'est-ce qu'une scène d'exposition ?
6. Qui s'opposa fortement à Pierre Corneille lors de la querelle du *Cid* ?
7. Jean Racine et Pierre Corneille étaient très amis : vrai ou faux ?
8. Quelle charge exerçait Corneille en plus de son métier de dramaturge ?
9. La famille de Pierre Corneille a toujours vécu à Paris : vrai ou faux ?
10. Qui était le comédien vedette de Corneille ?

RÉPONSES

1. Elvire n'en a pas, elle est elle-même suivante.
2. Le page.
3. D'avoir combattu les Mores et de les avoir battus.
4. Cinq actes.
5. C'est un personnage secondaire, gentilhomme à la Cour.
6. Non, il aime Chimène.
7. Il représente le pouvoir féodal.
8. Quatre.
9. « La valeur n'attend pas le nombre des années. »
10. Deux.

1. Faux.
2. Non, il est né en 1606.
3. Non, c'est Pierre le plus âgé, de dix-neuf ans.
4. Un hémistiche.
5. C'est la scène qui présente les éléments nécessaires à la compréhension de la pièce.
6. Scudéry.
7. Faux.
8. Il était avocat.
9. Faux, la famille est originaire de Rouen.
10. Mondory.

À nous de jouer

Dramaturge, c'est à vous !

Toutes les indications scéniques sont précieuses au metteur en scène et au comédien qui doit s'emparer d'un rôle : on les appelle les **didascalies**. Elles peuvent spécifier les déplacements, le ton employé par celui qui parle, les gestes à effectuer, le décor.

Or, vous avez remarqué que Corneille rédige peu de didascalies. Il en use avec parcimonie, donnant même l'impression, d'ailleurs, qu'il n'y en a pas… Puisque vous allez vous transformer en metteur en scène, vous allez devoir donner des indications à vos comédiens. Avant de les mettre en scène, attribuez les didascalies de ton qui semblent justes. Préparez la scène 2 de l'acte II en remplaçant […] par une de ces propositions, que vous pouvez modifier ou enrichir :

simulant l'amusement ; arrogant ; méprisant ; faisant irruption ; baissant le ton ; impatient ; déterminé ; prétentieux ; froidement ; s'approchant, le défiant du regard ; avec autorité ; détaché ; provocateur ; avec ironie ; fougueux ; sûr de lui ; montrant une place plus loin ; désabusé ; partant ; dédaigneux ; éludant la question ; amusé.

Exercices

Scène 2
LE COMTE, DON RODRIGUE

DON RODRIGUE
[…] À moi, Comte, deux mots.

LE COMTE
[…] Parle.

DON RODRIGUE

[…] Ôte-moi d'un doute.

Connais-tu bien Don Diègue ?

LE COMTE

[…] Oui.

DON RODRIGUE

[…] Parlons bas, écoute.

Sais-tu que ce vieillard fut la même vertu,
La vaillance, et l'honneur de son temps ? le sais-tu ?

LE COMTE

[…] Peut-être.

DON RODRIGUE

[…] Cette ardeur que dans les yeux je porte,

Sais-tu que c'est son sang ? […] le sais-tu ?

LE COMTE

[…] Que m'importe ?

DON RODRIGUE

[…] À quatre pas d'ici je te le fais savoir.

LE COMTE

[…] Jeune présomptueux.

DON RODRIGUE

[…] Parle sans t'émouvoir.

Je suis jeune, il est vrai, mais aux âmes bien nées
La valeur n'attend pas le nombre des années.

LE COMTE

[…] Mais t'attaquer à moi ! qui t'a rendu si vain,
Toi qu'on n'a jamais vu les armes à la main ?

DON RODRIGUE

[…] Mes pareils à deux fois ne se font point connaître,
Et pour leurs coups d'essai veulent des coups de maître.

LE COMTE

[…] Sais-tu bien qui je suis ?

DON RODRIGUE

[…] Oui, tout autre que moi
Au seul bruit de ton nom pourrait trembler d'effroi,
Mille et mille lauriers dont ta tête est couverte
Semblent porter écrit le destin de ma perte,
J'attaque en téméraire un bras toujours vainqueur,
Mais j'aurai trop de force ayant assez de cœur,
À qui venge son père il n'est rien impossible,
Ton bras est invaincu, mais non pas invincible.

LE COMTE

[…] Ce grand cœur qui paraît aux discours que tu tiens
Par tes yeux chaque jour se découvrait aux miens,
Et croyant voir en toi l'honneur de la Castille,
Mon âme avec plaisir te destinait ma fille.
Je sais ta passion, et suis ravi de voir
Que tous ses mouvements cèdent à ton devoir,
Qu'ils n'ont point affaibli cette ardeur magnanime,
Que ta haute vertu répond à mon estime,
Et que voulant pour gendre un Chevalier parfait
Je ne me trompais point au choix que j'avais fait.
[…] Mais je sens que pour toi ma pitié s'intéresse,
J'admire ton courage, et je plains ta jeunesse.
Ne cherche point à faire un coup d'essai fatal,
Dispense ma valeur d'un combat inégal,
Trop peu d'honneur pour moi suivrait cette victoire,
À vaincre sans péril on triomphe sans gloire,
On te croirait toujours abattu sans effort,
Et j'aurais seulement le regret de ta mort.

DON RODRIGUE

[…] D'une indigne pitié ton audace est suivie.
Qui m'ose ôter l'honneur craint de m'ôter la vie.

LE COMTE

[…] Retire-toi d'ici.

DON RODRIGUE

[…] Marchons sans discourir.

> **LE COMTE**
> [...] Es-tu si las de vivre ?
>
> **DON RODRIGUE**
>   [...] As-tu peur de mourir ?
> **LE COMTE**
> [...] Viens, tu fais ton devoir, et le fils dégénère
> Qui survit un moment à l'honneur de son père.

Apprenez une scène par cœur et jouez-la

En mettant le ton, jouez la scène de l'acte I, durant laquelle Don Diègue est en proie à la douleur de l'affront qu'il vient de subir du Comte : il vient d'être souffleté et le Comte a refusé de combattre en duel, invoquant sa vieillesse ! Don Diègue se sent défait, vieux et lâche !

Don Diègue est seul en scène : il s'agit d'un monologue. Ses paroles s'adressent véritablement au spectateur. Il faut donc être convaincant car vos spectateurs seront vos camarades !

Relisez bien la scène avant et inscrivez-y des didascalies à l'intérieur, pour vous aider. Modulez votre voix en fonction des émotions qui sont retranscrites : la peine, la douleur, la honte, l'effondrement… Votre voix doit tenir compte de l'intonation qui, au théâtre, est impulsée par le type de phrase utilisé : la phrase interrogative fait monter la voix, la phrase exclamative intensifie le sentiment…

On fait généralement une pause à l'hémistiche, nous avons marqué la coupe pour que vous pratiquiez un léger arrêt. Cette coupe vous aidera également à comprendre le sens des vers en rassemblant les mots qui vont ensemble.

Scène 5

DON DIÈGUE, *seul*.

Ô rage, ô désespoir ! / ô vieillesse ennemie !
N'ai-je donc tant vécu / que pour cette infamie ?
Et ne suis-je blanchi / dans les travaux guerriers
Que pour voir en un jour / flétrir tant de lauriers ?
Mon bras qu'avec respect / toute l'Espagne admire,
 Mon bras qui tant de fois / a sauvé cet Empire,
Tant de fois affermi / le Trône de son Roi,
Trahit donc ma querelle, / et ne fait rien pour moi ?
Ô cruel souvenir / de ma gloire passée !
Œuvre de tant de jours / en un jour effacée !
Nouvelle dignité / fatale à mon bonheur,
Précipice élevé / d'où tombe mon honneur,
Faut-il de votre éclat / voir triompher le Comte,
Et mourir sans vengeance, / ou vivre dans la honte ?
Comte, sois de mon Prince / à présent Gouverneur,
Ce haut rang n'admet point / un homme sans honneur,
Et ton jaloux orgueil / par cet affront insigne
Malgré le choix du Roi / m'en a su rendre indigne.
Et toi de mes exploits / glorieux instrument,
Mais d'un corps tout de glace / inutile ornement,
Fer, jadis tant à craindre, / et qui dans cette offense
M'as servi de parade, / et non pas de défense,
Va, quitte désormais / le dernier des humains,
Passe pour me venger / en de meilleures mains ;
Si Rodrigue est mon fils, / il faut que l'amour cède,
Et qu'une ardeur plus haute / à ses flammes succède,
Mon honneur est le sien, / et le mortel affront
Qui tombe sur mon chef / rejaillit sur son front.

Rédigez une scène d'affrontement et jouez-la!

En veillant à respecter la présentation du texte théâtral (nom des personnages, disposition des répliques, vers, césure à l'hémistiche, rimes), vous rédigez une scène d'affrontement.

Point de départ : les deux suivantes, Léonor et Elvire, se rencontrent après l'explication entre Rodrigue et Chimène. Rodrigue a demandé à Chimène de le tuer pour qu'il échappe à ce cruel dilemme, l'aimer ou venger l'honneur de son père. Seule Elvire a assisté à la scène. Elle s'en ouvre à Léonor. Les deux suivantes sont l'expression du cœur de leur maîtresse. Chacune devra défendre les intérêts de celle qu'elle représente en mettant en cause ce maudit Rodrigue qui vient de se rendre coupable de meurtre!

Réinvestissez les champs lexicaux antithétiques de l'amour et de l'honneur. Les figures de style sont les bienvenues.

Organisons le débat

Comme vous l'avez constaté, *Le Cid* s'organise notamment autour de querelles familiales.

Les histoires d'amour, qui semblent pendant l'exposition occuper le premier plan, se compliquent rapidement au nom de l'honneur de la lignée. S'ajoutent à cela les questions liées au rang social : l'Infante aime Rodrigue, mais il n'est qu'un gentilhomme et cette position n'est pas suffisante pour la fille du Roi !

Mais alors, que devient l'individu, sa liberté et son libre arbitre amoureux dans toute cette histoire ?

Nous vous proposons de débattre, de délibérer sur des questions qui, venues de notre pièce, sont encore d'actualité. Voici des sujets soumis à votre libre arbitre, et qui sont à débattre avec vos camarades. Nous proposons quelques arguments, présentés succinctement. À vous de les développer, de les nourrir d'exemples pris dans vos lectures, dans les films que vous avez vus, et dans vos expériences.

Est-il besoin de rappeler ce qu'est un argument ? Il s'agit d'une idée, d'une preuve qui vient soutenir une thèse. Qu'est-ce que la thèse ? C'est l'idée principale défendue, parfois soumise à controverse, c'est-à-dire, sujette à débat.

Peut-on accepter un mariage de convenance ?

Il est possible d'accepter un mariage de convenance décidé par la famille	Il est inacceptable de se marier par convenance
- L'enfant doit accepter les choix de ses parents. - La famille ayant élevé l'enfant sait mieux que quiconque ce qui lui convient. - L'enfant doit le respect à ses parents et n'a donc pas à discuter les choix qu'on fait pour lui. - Il faut respecter l'autorité de ses aînés et de ses ascendants qui ont plus d'expérience.	- L'amour est la seule bonne raison du mariage. - Le libre arbitre de l'enfant se doit d'être respecté. - Les sentiments personnels passent avant les idéaux familiaux. - C'est en essayant ce que nous croyons bon pour nous que nous devenons des personnes à part entière.

Doit-on, pour l'honneur de la famille, faire abstraction de ce que l'on est ?

L'honneur de la famille prime	Il faut se forger une personnalité
- Obéir aux ordres procure de la sérénité. - On doit tout à sa famille, il faut donc en tenir compte dans les décisions que l'on prend. - L'appartenance à une famille nous protège de bien des ennuis. - Penser à l'honneur de sa famille, c'est penser à son propre bien.	- On se construit à partir des enseignements reçus mais on a le droit de s'émanciper en ayant ses propres opinions. - Désobéir permet de construire sa personnalité. - La désobéissance peut s'avérer nécessaire lorsque les ordres donnés sont dangereux ou néfastes. - Il faut agir en cohérence avec qui on est sans exclure le respect d'autrui, et notamment les valeurs familiales dans lesquelles on a été élevé.

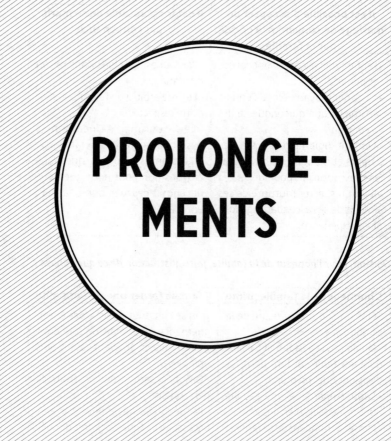

PROLONGE-
MENTS

Groupement de textes, « Individu et société : confrontation de valeurs ? »

Dans *Le Cid*, les conflits, surtout générationnels, sont multiples. L'individu avant que de s'accomplir lui-même, doit faire le bien commun et faire respecter l'honneur de la lignée… On perçoit donc une tension entre le désir de devenir soi-même et les devoirs que la société nous impose. Nous voulons élargir cette réflexion en vous proposant des extraits d'œuvres qui, à différentes époques, ont posé ces questions.

Cyrano de Bergerac
Edmond Rostand, 1897
(« Folioplus classiques »)

Cyrano Savinien Hercule de Bergerac est un écrivain français qui vécut au XVIIe siècle dont Edmond Rostand (1868-1918) s'inspire dans cette pièce qui connut (et connaît encore) un immense succès.

La pièce a débuté depuis trois scènes sans voir Cyrano. La scène se tient dans un théâtre, on doit jouer La Clorise, dont l'acteur principal est Montfleury. Mais ce comédien, très connu au XVIIe siècle, est détesté par Cyrano : il déclame mal le vers de la poésie tragique et aime la même femme que lui, Roxane. Le Gascon, pour le plus grand bonheur du parterre qui n'attendait que ça, va chercher à empêcher Montfleury de jouer. Ce qui nous vaut cet échange savoureux, entre Cyrano de Bergerac et le vicomte de Valvert.

LE VICOMTE, *suffoqué*

Ces grands airs arrogants !

Un hobereau[1] qui… qui… n'a même pas de gants !
Et qui sort sans rubans, sans bouffettes[2], sans ganses[3] !

CYRANO

Moi, c'est moralement que j'ai mes élégances.
Je ne m'attife pas ainsi qu'un freluquet,
Mais je suis plus soigné si je suis moins coquet ;
Je ne sortirais pas avec, par négligence,
Un affront pas très bien lavé, la conscience
Jaune encore de sommeil dans le coin de son œil,
Un honneur chiffonné, des scrupules en deuil.
Mais je marche sans rien sur moi qui ne reluise,
Empanaché d'indépendance et de franchise ;
Ce n'est pas une taille avantageuse, c'est
Mon âme que je cambre ainsi qu'en un corset,
Et tout couvert d'exploits qu'en rubans je m'attache,
Retroussant mon esprit ainsi qu'une moustache,
Je fais, en traversant les groupes et les ronds,
Sonner les vérités comme des éperons.

LE VICOMTE

Mais, monsieur…

CYRANO

Je n'ai pas de gants ?… La belle affaire !
Il m'en restait un seul d'une très vieille paire !
Lequel m'était d'ailleurs encor fort importun
Je l'ai laissé dans la figure de quelqu'un.

---

1. **Nom masculin** qui désigne, de manière péjorative, un homme campagnard possédant de petites terres, un petit propriétaire terrien sans savoir-vivre.
2. **Nom féminin** petites houppes ou nœuds bouffants de rubans, employés comme ornements.
3. **Ganse** : nom féminin. Cordonnets ou rubans qui servent d'ornements.

LE VICOMTE

Maraud, faquin, butor de pied plat ridicule.

CYRANO, *ôtant son chapeau et saluant*
comme si le vicomte venait de se présenter

Ah?… Et moi, Cyrano-Savinien-Hercule
De Bergerac.

Rires.

LE VICOMTE, *exaspéré*

Bouffon!

CYRANO, *poussant un cri comme lorsqu'on est saisi d'une crampe*

Ay!…

LE VICOMTE, *qui remontait, se retournant*

Qu'est-ce encor qu'il dit?

CYRANO, *avec des grimaces de douleur*

Il faut la remuer car elle s'engourdit…
Ce que c'est que de la laisser inoccupée!
Ay!…

LE VICOMTE

Qu'avez-vous?

CYRANO

J'ai des fourmis dans mon épée!

LE VICOMTE, *tirant la sienne*

Soit!

(acte I, scène 4)

Antigone

Jean Anouilh, 1946

(Éditions de La Table Ronde, « La Petite Vermillon »)

En pleine guerre, Jean Anouilh (1910-1987) récrit le mythe d'Œdipe : Laïos, roi de Thèbes et mari de Jocaste, est averti par l'oracle de Delphes qu'il sera tué par son fils, lequel épousera ensuite sa mère. Il abandonne donc sur le mont Cithéron son fils Œdipe qui est élevé par un berger puis recueilli par le roi de Corinthe, Polybe. À son tour, Œdipe est averti par l'oracle delphien qu'il tuera son père et épousera sa mère s'il retourne dans son pays. Comme il ne connaît d'autre patrie que Corinthe, il s'exile pour échapper à la prédiction et rencontre sur son chemin Laïos qu'il ne peut reconnaître et qu'il tue à la suite d'une querelle. Il arrive à Thèbes, plongée dans la famine et menacée par le Sphinx, un monstre terrifiant qui dévore tout passant qui ne devine pas ses énigmes. Créon, successeur et beau-frère de Laïos, a promis le trône de Thèbes et la main de sa sœur Jocaste, veuve et mère d'Œdipe, à celui qui délivrera le pays de ce monstre. Œdipe résout l'énigme du Sphinx, devient roi de Thèbes et épouse sa mère. Ils ont quatre enfants : Étéocle, Polynice, Ismène et Antigone. Tirésias, devin et prophète aveugle, lui révèle qu'il a tué son père et épousé sa mère sans le savoir. Il se crève les yeux et part de Thèbes avec sa fille Antigone tandis que Jocaste se pend. Ses fils réclament le droit au trône. Un conflit s'ensuit car la règle qu'ils se sont fixée est enfreinte par Étéocle : chaque frère doit régner une année et laisser ensuite le trône à l'autre. Polynice part à Argos et assiège Thèbes avec l'armée argienne.

Les deux frères s'entretuent. Créon prend le pouvoir et décide de procéder à des funérailles régulières pour le défenseur de Thèbes et ordonne l'abandon du cadavre en décomposition pour le traître : Polynice. Un décret interdit à quiconque d'essayer d'enterrer le traître.

Antigone incarne la résistance face à la loi imposée par le roi : elle veut offrir une sépulture décente à Polynice. Créon la lui refuse. L'étymologie grecque du nom d'Antigone en dit long sur sa personnalité : anti veut dire « contre » et gonê, « famille » : Antigone est celle qui dit « non » au roi Créon, son oncle.

Anouilh réactualise ce mythe en le transposant durant la Seconde Guerre mondiale, lorsque les Allemands occupent la France.

> Un décor neutre. Trois portes semblables. Au lever du rideau, tous les personnages sont en scène. Ils bavardent, tricotent, jouent aux cartes.
> Le Prologue se détache et avance.

LE PROLOGUE

Voilà. Ces personnages vont vous jouer l'histoire d'Antigone. Antigone, c'est la petite maigre qui est assise là-bas, et qui ne dit rien. Elle regarde droit devant elle. Elle pense. Elle pense qu'elle va être Antigone tout à l'heure, qu'elle va surgir soudain de la maigre jeune fille noiraude et renfermée que personne ne prenait au sérieux dans la famille et se dresser seule en face du monde, seule en face de Créon, son oncle, qui est le roi. Elle pense qu'elle va mourir, qu'elle est jeune et qu'elle aussi, elle aurait bien aimé vivre. Mais il n'y a rien à faire. Elle s'appelle Antigone et il va falloir qu'elle joue son rôle jusqu'au bout… Et, depuis que ce rideau s'est levé, elle sent qu'elle s'éloigne à une vitesse vertigineuse de sa sœur Ismène, qui bavarde et rit avec un jeune homme, de nous tous, qui sommes là bien tranquilles à la regarder, de nous qui n'avons pas à mourir ce soir.

Le jeune homme avec qui parle la blonde, la belle, l'heureuse Ismène, c'est

Hémon, le fils de Créon. Il est le fiancé d'Antigone. Tout le portait vers Ismène : son goût de la danse et des jeux, son goût du bonheur et de la réussite, sa sensualité aussi, car Ismène est bien plus belle qu'Antigone ; et puis un soir, un soir de bal où il n'avait dansé qu'avec Ismène, un soir où Ismène avait été éblouissante dans sa nouvelle robe, il a été trouver Antigone qui rêvait dans un coin, comme en ce moment, ses bras entourant ses genoux, et il lui a demandé d'être sa femme. Personne n'a jamais compris pourquoi. Antigone a levé sans étonnement ses yeux graves sur lui et elle lui a dit « oui » avec un petit sourire triste… L'orchestre attaquait une nouvelle danse, Ismène riait aux éclats, là-bas, au milieu des autres garçons, et voilà, maintenant, lui, il allait être le mari d'Antigone. Il ne savait pas qu'il ne devait jamais exister de mari d'Antigone sur cette terre et que ce titre princier lui donnait seulement le droit de mourir.

Cet homme robuste, aux cheveux blancs, qui médite là, près de son page, c'est Créon. C'est le roi. Il a des rides, il est fatigué. Il joue au jeu difficile de conduire les hommes. Avant, du temps d'Œdipe, quand il n'était que le premier personnage de la cour, il aimait la musique, les belles reliures, les longues flâneries chez les petits antiquaires de Thèbes. Mais Œdipe et ses fils sont morts. Il a laissé ses livres, ses objets, il a retroussé ses manches, et il a pris leur place. Quelquefois, le soir, il est fatigué, et il se demande s'il n'est pas vain de conduire les hommes. Si cela n'est pas un office sordide qu'on doit laisser à d'autres, plus frustes… Et puis, au matin, des problèmes précis se posent, qu'il faut résoudre, et il se lève, tranquille, comme un ouvrier au seuil de sa journée.

La vieille dame qui tricote, à côté de la nourrice qui a élevé les deux petites, c'est Eurydice, la femme de Créon. Elle tricotera pendant toute la tragédie jusqu'à ce que son tour vienne de se lever et de mourir. Elle est bonne, digne, aimante. Elle ne lui est d'aucun secours. Créon est seul. Seul avec son petit page qui est trop petit et qui ne peut rien non plus pour lui.

Ce garçon pâle, là-bas, au fond, qui rêve adossé au mur, solitaire, c'est le Messager. C'est lui qui viendra annoncer la mort d'Hémon tout à l'heure. C'est pour cela qu'il n'a pas envie de bavarder ni de se mêler aux autres. Il sait déjà…

Enfin les trois hommes rougeauds qui jouent aux cartes, leurs chapeaux sur la nuque, ce sont les gardes. Ce ne sont pas de mauvais bougres, ils ont des femmes, des enfants, et des petits ennuis comme tout le monde, mais ils vous empoigneront les accusés le plus tranquillement du monde tout à l'heure. Ils sentent l'ail, le cuir et le vin rouge et ils sont dépourvus de toute imagination. Ce sont les auxiliaires toujours innocents et toujours satisfaits d'eux-mêmes, de la justice. Pour le moment, jusqu'à ce qu'un nouveau chef de Thèbes dûment mandaté leur ordonne de l'arrêter à son tour, ce sont les auxiliaires de la justice de Créon.

Et maintenant que vous les connaissez tous, ils vont pouvoir vous jouer leur histoire. Elle commence au moment où les deux fils d'Œdipe, Étéocle et Polynice, qui devaient régner sur Thèbes un an chacun à tour de rôle, se sont battus et entretués sous les murs de la ville, Étéocle l'aîné, au terme de la première année de pouvoir, ayant refusé de céder la place à son frère. Sept grands princes étrangers que Polynice avait gagnés à sa cause ont été défaits devant les sept portes de Thèbes. Maintenant la ville est sauvée, les deux frères ennemis sont morts et Créon, le roi, a ordonné qu'à Étéocle, le bon frère, il serait fait d'imposantes funérailles, mais que Polynice, le vaurien, le révolté, le voyou, serait laissé sans pleurs et sans sépulture, la proie des corbeaux et des chacals.

Quiconque osera lui rendre les devoirs funèbres sera impitoyablement puni de mort.

Pendant que le Prologue parlait, les personnages sont sortis un à un. Le Prologue disparaît aussi. L'éclairage s'est modifié sur la scène. C'est maintenant une aube grise et livide dans une maison qui dort. Antigone entrouvre la porte et rentre de l'extérieur sur la pointe de ses pieds nus, ses souliers à la main. Elle reste un instant immobile à écouter. La nourrice surgit.

1. **Par quels moyens savez-vous que le Prologue est un personnage ?**
2. **Comment sont caractérisés tous les personnages de cette
tragédie ?**
3. **Trouvez deux champs lexicaux dominants dans cette
scène ? Quelle conclusion en tirez-vous ?**
4. **Relevez tout ce qui a trait à l'expression de la fatalité.**
5. **Comment le spectateur-lecteur est-il happé par le Prologue ?**
6. **Quels individus et quelles valeurs vont se confronter dans
cette pièce ?**
7. **De quel type de scène classique pouvez-vous rapprocher
celle-ci ? Justifiez. Commentez la dernière phrase du Prologue.**

Voyage au bout de la nuit

Louis-Ferdinand Céline, 1932

(Éditions Gallimard, repris en « Folioplus classiques »)

Dans son roman, Voyage au bout de la nuit, *Louis-Ferdinand Céline (1894-1961)
nous fait voyager en compagnie de son personnage principal, Bardamu… De la
Grande Guerre aux États-Unis, puis aux cités de banlieues parisiennes, nous traver-
sons l'enfer de l'individualité, l'enfer de la nature humaine.
Bardamu a fui aux États-Unis, pensant y trouver l'eldorado… Mais il découvre les
affres du travail à la chaîne dans les usines Ford. Lorsque débute l'extrait qui suit, il
vient de passer la visite médicale pour vérifier son aptitude au travail.*

Une fois rhabillés, nous fûmes répartis en files traînardes, par groupes hési-
tants en renfort vers ces endroits d'où nous arrivaient les fracas énormes de

la mécanique. Tout tremblait dans l'immense édifice et soi-même des pieds aux oreilles possédé par le tremblement, il en venait des vitres et du plancher et de la ferraille, des secousses, vibré de haut en bas. On en devenait machine aussi soi-même à force et de toute sa viande encore tremblotante dans ce bruit de rage énorme qui vous prenait le dedans et le tour de la tête et plus bas vous agitant les tripes et remontait aux yeux par petits coups précipités, infinis, inlassables. À mesure qu'on avançait on les perdait les compagnons. On leur faisait un petit sourire à ceux-là en les quittant comme si tout ce qui se passait était bien gentil. On ne pouvait plus ni se parler ni s'entendre. Il en restait à chaque fois trois ou quatre autour d'une machine.

On résiste tout de même, on a du mal à se dégoûter de sa substance, on voudrait bien arrêter tout ça pour qu'on y réfléchisse, et entendre en soi son cœur battre facilement, mais ça ne se peut plus. Ça ne peut plus finir. Elle est en catastrophe cette infinie boîte aux aciers et nous on tourne dedans et avec les machines et avec la terre. Tous ensemble! Et les mille roulettes et les pilons qui ne tombent jamais en même temps avec des bruits qui s'écrasent les uns contre les autres et certains si violents qu'ils déclenchent autour d'eux comme des espèces de silences qui vous font un peu de bien. Le petit wagon tortillard garni de quincaille se tracasse pour passer entre les outils. Qu'on se range! Qu'on bondisse pour qu'il puisse démarrer encore un coup le petit hystérique! Et hop! il va frétiller plus loin ce fou clinquant parmi les courroies et volants, porter aux hommes leur ration de contraintes.

Les ouvriers penchés soucieux de faire tout le plaisir possible aux machines vous écœurent, à leur passer les boulons au calibre, et des boulons encore, au lieu d'en finir une fois pour toutes, avec cette odeur d'huile, cette buée qui brûle les tympans et le dedans des oreilles par la gorge. C'est pas la honte qui leur fait baisser la tête. On cède au bruit comme on cède à la guerre. On se laisse aller aux machines avec les trois idées qui restent à vaciller tout en haut derrière le front de la tête. C'est fini. Partout ce qu'on regarde, tout ce que la main touche, c'est dur à présent. Et tout ce dont on arrive à se souvenir encore un peu est raidi aussi comme du fer et n'a plus de goût dans la pensée.

On est devenu salement vieux d'un seul coup.

Il faut abolir la vie du dehors, en faire aussi d'elle de l'acier, quelque chose d'utile. On l'aimait pas assez telle qu'elle était, c'est pour ça.

Faut en faire un objet donc, du solide, c'est la Règle.

J'essayais de lui parler au contremaître à l'oreille, il a grogné comme un cochon en réponse et par les gestes seulement il m'a montré, bien patient, la très simple manœuvre que je devais accomplir désormais pour toujours. Mes minutes, mes heures, mon reste de temps comme ceux d'ici s'en iraient à passer des petites chevilles à l'aveugle d'à côté qui calibrait, lui, depuis des années les chevilles, les mêmes. Moi j'ai fait ça tout de suite très mal. On ne me blâma point, seulement après trois jours de ce labeur initial, je fus transféré, raté déjà, au trimballage du petit chariot rempli de rondelles, celui qui cabotait d'une machine à l'autre. Là, j'en laissais trois, ici douze, là-bas quinze seulement. Personne ne me parlait. On existait plus que par une sorte d'hésitation entre l'hébétude et le délire. Rien n'importait que la continuité fracassante des mille et mille instruments qui commandaient les hommes.

Quand à six heures tout s'arrête on emporte le bruit dans sa tête. J'en avais encore moi pour la nuit entière de bruit et d'odeur à l'huile aussi comme si on m'avait mis un nez nouveau, un cerveau nouveau pour toujours.

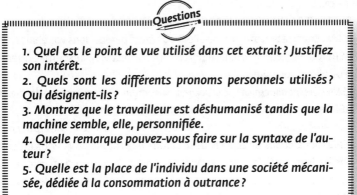

Questions

1. Quel est le point de vue utilisé dans cet extrait ? Justifiez son intérêt.
2. Quels sont les différents pronoms personnels utilisés ? Qui désignent-ils ?
3. Montrez que le travailleur est déshumanisé tandis que la machine semble, elle, personnifiée.
4. Quelle remarque pouvez-vous faire sur la syntaxe de l'auteur ?
5. Quelle est la place de l'individu dans une société mécanisée, dédiée à la consommation à outrance ?

Rhinocéros

Eugène Ionesco, 1958

(Éditions Gallimard, repris en « Folioplus classiques »)

Le comique grinçant prédomine dans cette pièce d'Eugène Ionesco (1909-1994) dans laquelle toute une ville est touchée par une étrange maladie, la rhinocérite : les habitants, à l'exception de Bérenger, se changent en rhinocéros… Il faut voir dans cette transformation une métaphore de l'inquiétude grandissante qui saisit la population. L'humanité de l'homme serait-elle menacée par le pouvoir politique ? À la lecture de cet extrait, vous comprendrez pourquoi Bérenger n'est pas atteint par cette maladie.

JEAN, *l'interrompant* : Vous êtes dans un triste état, mon ami.

BÉRENGER : Dans un triste état, vous trouvez ?

JEAN : Je ne suis pas aveugle. Vous tombez de fatigue, vous avez encore perdu la nuit, vous bâillez, vous êtes mort de sommeil…

BÉRENGER : J'ai un peu mal aux cheveux…

JEAN : Vous puez l'alcool !

BÉRENGER : J'ai un petit peu la gueule de bois, c'est vrai !

JEAN : Tous les dimanches matin, c'est pareil, sans compter les jours de la semaine.

BÉRENGER : Ah ! non, en semaine, c'est moins fréquent, à cause du bureau…

JEAN : Et votre cravate, où est-elle ? Vous l'avez perdue dans vos ébats !

BÉRENGER, *mettant la main à son cou* : Tiens, c'est vrai, c'est drôle, qu'est-ce que j'ai bien pu en faire ?

JEAN, *sortant une cravate de la poche de son veston.* : Tenez, mettez celle-ci.

BÉRENGER : Oh, merci, vous êtes bien obligeant.

Il noue la cravate à son cou.

JEAN, *pendant que Bérenger noue sa cravate au petit bonheur* : Vous êtes tout décoiffé ! (*Bérenger passe les doigts dans ses cheveux.*) Tenez, voici un peigne !

Il sort un peigne de l'autre poche de son veston.

BÉRENGER, *prenant le peigne* : Merci.

Il se peigne vaguement.

JEAN : Vous ne vous êtes pas rasé ! Regardez la tête que vous avez.

Il sort une petite glace de la poche intérieure de son veston, la tend à Bérenger qui s'y examine ; en se regardant dans la glace, il tire la langue.

BÉRENGER : J'ai la langue bien chargée.

JEAN, *reprenant la glace et la remettant dans sa poche* : Ce n'est pas étonnant !... (*Il reprend aussi le peigne que lui tend Bérenger et le remet dans sa poche.*) La cirrhose vous menace, mon ami.

BÉRENGER, *inquiet* : Vous croyez ?...

JEAN, *à Bérenger qui veut lui rendre la cravate* : Gardez la cravate, j'en ai en réserve.

BÉRENGER, *admiratif* : Vous êtes soigneux, vous.

JEAN, *continuant d'inspecter Bérenger* : Vos vêtements sont tout chiffonnés, c'est lamentable, votre chemise est d'une saleté repoussante, vos souliers... (*Bérenger essaye de cacher ses pieds sous la table.*) Vos souliers ne sont pas cirés... Quel désordre !... Vos épaules...

BÉRENGER : Qu'est-ce qu'elles ont, mes épaules ?...

JEAN : Tournez-vous. Allez, tournez-vous. Vous vous êtes appuyé contre un mur... (*Bérenger étend mollement sa main vers Jean.*) Non, je n'ai pas de brosse sur moi. Cela gonflerait les poches. (*Toujours mollement, Bérenger donne des tapes sur ses épaules pour en faire sortir la poussière blanche ; Jean écarte la tête.*) Oh ! là là... Où donc avez-vous pris cela ?

BÉRENGER : Je ne m'en souviens pas.

JEAN : C'est lamentable, lamentable ! J'ai honte d'être votre ami.

BÉRENGER : Vous êtes bien sévère...

JEAN : On le serait à moins !

BÉRENGER : Écoutez, Jean. Je n'ai guère de distractions, on s'ennuie dans cette ville, je ne suis pas fait pour le travail que j'ai... tous les jours, au bureau, pendant huit heures, trois semaines seulement de vacances en été ! Le samedi soir, je suis plutôt fatigué, alors, vous me comprenez, pour me détendre...

JEAN : Mon cher, tout le monde travaille et moi aussi, moi aussi comme tout le monde, je fais tous les jours mes huit heures de bureau, moi aussi, je n'ai que vingt et un jours de congé par an, et pourtant, pourtant vous me voyez. De la volonté, que diable !...

BÉRENGER : Oh ! de la volonté, tout le monde n'a pas la vôtre. Moi je ne m'y fais pas. Non, je ne m'y fais pas, à la vie.

JEAN : Tout le monde doit s'y faire. Seriez-vous une nature supérieure ?

BÉRENGER : Je ne prétends pas...

JEAN, *interrompant* : Je vous vaux bien ; et même, sans fausse modestie, je vaux mieux que vous. L'homme supérieur est celui qui remplit son devoir.

BÉRENGER : Quel devoir ?

JEAN : Son devoir... son devoir d'employé par exemple...

BÉRENGER : Ah, oui, son devoir d'employé...

JEAN : Où donc ont eu lieu vos libations cette nuit ? Si vous vous en souvenez !

BÉRENGER : Nous avons fêté l'anniversaire d'Auguste, notre ami Auguste...

JEAN : Notre ami Auguste ? On ne m'a pas invité, moi, pour l'anniversaire de notre ami Auguste...

> *À ce moment, on entend le bruit très éloigné, mais se rapprochant très vite, d'un souffle de fauve et de sa course précipitée, ainsi qu'un long barrissement.*

BÉRENGER : Je n'ai pas pu refuser. Cela n'aurait pas été gentil...

JEAN : Y suis-je allé, moi ?

BÉRENGER : C'est peut-être, justement, parce que vous n'avez pas été invité !

(Acte I, tableau 1)

Questions

1. À quel type de scène correspond cet extrait ? Justifiez votre réponse.

2. Qu'apprenez-vous sur ces deux personnages qui dialoguent ? Justifiez par des citations du texte et détaillez votre propos.

3. À quoi servent les accessoires ?

4. Que nous indique la didascalie qui suit l'avant-dernière réplique de Jean ?

5. Quelle critique Ionesco fait-il dans cet extrait ?

Histoire des arts

Au verso de la couverture, en début d'ouvrage :

Time Machine
IGOR MORSKI (NÉ EN 1960)
© IGOR MORSKI

Igor Morski est un illustrateur polonais qui a une pratique artistique mixte, utilisant des photos ou des dessins qu'il retravaille avec un logiciel de transformation d'image. Ses créations font parfois penser à des œuvres surréalistes.

1. Décrivez ce que vous voyez sur cette toile.
2. Que symbolise cette peinture pour vous ?
3. Que dénonce l'artiste ?
4. Quel rapport pouvez-vous faire avec *Le Cid* ?
5. Réflexion : Pensez-vous que nous vivons dans une société dans laquelle l'être humain garde sa place d'individu à part entière ?

Au verso de la couverture, en fin d'ouvrage :

Le Serment des Horaces, 1784
JACQUES-LOUIS DAVID (DIT DAVID) (1748-1825)
MUSÉE DU LOUVRE, PARIS.
PHOTO © RMN – GP (MUSÉE DU LOUVRE) / GÉRARD BLOT / CHRISTIAN JEAN

Ce peintre qui a immortalisé notamment quelques heures de gloire de Napoléon Bonaparte (*Le Sacre de Napoléon*, *Bonaparte franchissant le Grand-Saint-Bernard*) est considéré comme le chef de file du néo-classicisme. Peintre d'histoire, portraitiste, il est aussi l'auteur de ce tableau aux dimensions impressionnantes — 3,30 mètres de hauteur, 4,25 mètres de largeur — qui reprend un épisode antique.

1. Recherchez de quelle histoire s'inspire cette huile sur toile.
2. Comment pouvez-vous distinguer les groupes de personnages dans cette œuvre ? Étudiez les postures, le décor, la lumière.
3. À quelle scène le spectateur assiste-t-il ? Comment le savons-nous ?
4. Quelle valeur met en scène cette œuvre ? Quelle est la place de l'individu ici ?

Psyché ranimée par le baiser de l'Amour, 1787-1793
ANTONIO CANOVA (1757-1822)

MUSÉE DU LOUVRE, PARIS. PHOTO © MUSÉE DU LOUVRE, DIST. RMN-GP / RAPHAËL CHIPAULT

Cette sculpture en marbre s'inspire d'une des métamorphoses écrites par l'auteur latin Apulée (IIᵉ siècle). En suivant un jeu de pistes, vous allez reconstituer ce qui s'est passé entre les deux personnages représentés.

1. Quels sont les personnages représentés ? Comment les reconnaissez-vous ?
2. Recherchez qui sont Psyché et Amour.
3. Quel moment de leur histoire Canova a-t-il choisi ?
4. Recherchez l'étymologie de Psyché et son sens.
5. Comment pourriez-vous relier cette sculpture au *Cid* ?

Cid Flamenco, 1998

THOMAS LE DOUAREC

THÉÂTRE COMEDIA, AVRIL 2009. PHOTO © PASCAL VICTOR / ARTCOMART

Comme toutes les grandes pièces du répertoire, *Le Cid* a donné lieu à des choix de mise en scène très divers. On peut le jouer en costumes d'époque mais aussi le rendre contemporain en choisissant une garde-robe d'aujourd'hui. On peut également lui donner d'autres couleurs : c'est le cas de Thomas Le Douarec qui a accentué la tonalité espagnole et proposé une version flamenco qui a connu un grand succès.

1. Qui voyez-vous sur cette photographie ?

2. Quelles sont les postures adoptées par les comédiens ? Pourquoi ?

3. Par quels moyens scéniques la mise à mort est-elle suggérée ?

4. Précisez l'acte et la scène en relation avec cette représentation.

Dans la même collection

Composition Dominique Guillaumin
Impression Novoprint
à Barcelone, le 22 octobre 2021.
Dépôt légal : octobre 2021
1er dépôt légal dans la collection : septembre 2016
ISBN 978-2-07-079368-6./Imprimé en Espagne.